10大民族で読み解く世界史の興亡

歴史の主役に躍り出た民族の素顔とは

Miyazaki Masakatsu
宮崎正勝

KAWADE夢新書

「民族」に着目すると本当の世界史が見えてくる——はじめに

◉民族問題でザワつく現代世界

トランプ元大統領のアメリカ・ファーストの政策、イギリスのブレグジット、ＥＵにおける民族右派の台頭、中国の中華主義の主張、韓国の「反日」など、国際化の反動として「民族」対立が目立つ時代になってきています。ヨーロッパでも東アジアでも、民族を巡る対立が増えてきました。コロナ禍《か》で世界経済が悪化すれば、さらに民族同士の対立が進むことになるでしょう。

しかし、そうした民族対立は、今に始まったことではありません。

現在、私たちは、19世紀にヨーロッパで考え出された国際法と国境で守られた国（国民国家）を前提とする世界を当たり前のように考えているのですが、世界史的に見ると、そうなったのはごく最近のことなのです。

世界の歩みを振り返ると、９割９分までが国際法のない時代であり、国境も流動的できわめて不安定でした。土地や資産（特に穀物）を巡って、激しく部族（血縁集団）が争い合う時代が続いてきたのです。

過去の帝国も王朝も、有力な部族の連合体であり、軍事力による部族の抗争と膨張が当然のように繰り返されてきました。**その時代の「民族」は強力な部族を中心とする諸部族の結合体**であり、他との協調は二の次で、自分たちの集団の利益を第一としていたからです。力関係で全てが決まる過酷な時代が、文明の誕生以来、長期間にわたって続いてきたわけです。

◉中心となる「民族」の交替で世界史の興亡が進んだ

最近でもソ連の崩壊という大きな出来事がありましたが、世界史では突然に帝国が勃興したり、大帝国が没落したりすることは日常《にちじょう》茶飯事《さはんじ》であり、民族の衝突、侵入、移動などにより世界が動きました。第二次世界大戦後の四十数年間は米ソの冷戦の下で、アメリカの圧倒的な経済力、軍事力により世界秩序が何とか維持される特殊な時代だったのです。

しかし、ソ連が崩壊し、アメリカがかつての力を失って、現在は、19世紀以前の「弱肉強食」の時代へと逆行するような政治的・軍事的な動き、言説《げんせつ》が目立ちます。同じことは繰り返されませんが、世界は前にも進むし、後ろにも戻りますから、世界が常に過渡期にあるという認識は必要でしょう。

　気候に恵まれた日本列島は、ある面、世界の過酷な生存競争から隔離され、比較的ノンビリとした歴史が展開されてきました。後で述べるように、世界史は「三つの舞台」に分けて考えるとわかりやすいのですが、そのいずれの舞台でも、激しい食糧争奪戦が繰り返されました。日本では一度きりでしたが、世界では元寇《げんこう》のような異民族の侵入が常態化していたのです。

　なぜなら、世界の歴史は、穀物が十分に生産できない**砂漠**（年間降水量２５０ミリ以下）、**草原**（ステップ、年間降水量５００ミリ以下）の乾燥地帯を中心に展開されてきたからです。繰り返しますが、世界史の大部分を占めたのは、穀物をめぐる軍事優先の争いの時代だったのです。

　強者となる**遊牧民**は、部族が連合して農業地帯に進攻し、**農業民**も部族が力を合わせて生活を守るしかありませんでした。**商業民**はネットワークを育て、遊牧民がつくった帝国の維持に協力しました。いろいろな事情が重なって、どの地域でも部族主義が強まったのです。

◉民族の勃興に必要な条件とは

世界をリードする民族は次々に入れ替わり、それによって世界史が変動しました。では、世界史を動かしてきたのはどのような民族で、何が勃興のエネルギーになったのでしょう。それは「何によって歴史が動いたのか」を明らかにすることに通じます。

長年、世界史を考えてきて言えることは、**歴史を動かす最大のエネルギーは、飢餓《きが》への恐れ、豊かになりたいという欲求**だと思います。

日本も76年前、太平洋戦争中のアメリカ軍の猛烈な焼夷《しょうい》弾《だん》攻撃により、ほとんどの都市が焼け野原になってしまいました。食糧が底を尽き、国会議事堂の前にサツマイモ畑が作られるというような絶望的状況の下で、飢餓との戦いに立ち上がらざるを得なかったのです。そうした際に、自力復興への強い意志が結集されたからこそ、奇跡的な経済復興がなし遂げられたのです。もちろん「運」にも、多数の献身的な指導者にも恵まれました。

民族の勃興にも、そうした条件が必要です。大体の場合、**ローカルで小さな民族が巨大な民族に成長していく**のですが、その条件を整理すると次の七つが挙げられます。

（1）食糧の欠乏、飢餓《きが》、過剰人口
（2）戦争、疫病の流行、寒冷化などの試練

（3）（1）、（2）に何とか対処しようという強靱《きょうじん》な意志
（4）連続する「運」の良さ
（5）世界秩序、体制の動揺と転換
（6）民族の結束とそれを助ける組織、宗教などの存在
（7）指導者の視野の広さと的確な判断

　世界史を動かしてきた民族はいずれも、そうした条件のいくつかの組み合わせにより勃興したといえます。例えば、イスラーム帝国を建てた**アラブ人**は夏の最高気温が50度を超える灼熱《しゃくねつ》のアラビア砂漠から勃興し、モンゴル帝国を建てた**モンゴル人**は冬に零下30度まで気温が下がり、シベリアから吹き寄せる烈風が大地を削るモンゴル高原から出ました。

　大航海時代をリードした**ラテン人**のポルトガルは食糧が自給できない「出稼ぎ」の国であり、**ゲルマン系**のオランダもイギリスも、寒冷な気候でムギの栽培がままならない貧しい小国でした。イギリスで牧羊が盛んだったのは、通年の寒さでムギが育たなかったからです。だからこそ、創意工夫が必要になったのです。

　帝国の勃興には過酷な風土に鍛えられた体力と強靱な意志を持つ人々が必要でしたが、アラブ人のムハンマド、モンゴル人のチンギス・ハーン、ポルトガルのエンリケ航海王子、

オランダの対スペイン戦争（八十年戦争）の指導者ウィレム1世、イギリスのクロムウェルなどの強力なリーダーも、必要でした。

◉なぜ、この10大民族が選ばれるのか

本書は、世界史に登場するあまたの民族のうち、10の民族――**❶イラン人（ペルシア人）**、**❷ラテン人**、**❸アラブ人**、**❹インド人**、**❺漢人（中国人）**、**❻モンゴル人**、**❼トルコ人**、**❽満洲人**、**❾ゲルマン人**、**❿ユダヤ人**――を選定し、これらの民族がどのように歴史の興亡にかかわったかを見ていくものです。

10に絞るのはかなり難しいのですが、選択の過程で今まで見えなかったものが見えてきました。世界史のダイナミズムは農業社会からは起こってこなかったということです。

なぜこれらの民族が10大民族と考えられるのかについては、のちほど説明しますが、大穀倉地帯に居住した農業民の**❹インド人**、**❺漢人**以外は全て遊牧民、商業民です。

先ほど、孤立していた日本列島が民族間の生存競争にさらされなかったことに触れましたが、他民族に収奪されない、例外的に豊かな農業民として生きてきた日本人から見ると、10大民族のメンタリティにはなかなか測りがたいものがあります。

ですから、多くの人が、以下のような疑問に答えることは難しいかもしれません。

- **なぜイラン（イラン人）が、アメリカをはじめ西側諸国に対抗するのか**
- **中国がチベット、ウイグルなど周辺の他民族を吸収し、香港、台湾を含め「一つの中国」をつくるのにこだわるのは、なぜか**
- **北朝鮮は貧しいのに、なぜ韓国に対して高圧的なのか**
- **トルコが強引にクルド人のトルコ化を進めるのは、なぜか**
- **数の少ないユダヤ人が、各国で金融と情報を武器に活躍できるのは、なぜか**

本文で詳述しますが、いずれも、彼らの「民族」としての歴史が、そうした態度・動きにつながっていると説明できます。

世界を変動させた民族はそのほとんどが、遊牧民もしくは商業民でした。それらの民族はもとは弱小民族でしたが、諸民族を吸収・同化するかたちで大勢力となり、状況が変化すると分裂と弱小化の道をたどりました。現代の混沌とした社会情勢を読み解き、さらに将来を展望するには、それらの諸民族の出自や歴史、行動原理を知り、西洋史とは別の世界史があると知ることが必要だと思います。

宮崎正勝

10大民族で読み解く世界史の興亡　もくじ

第二の舞台・前編　インド人、漢人

第四章　大穀倉地帯でハイブリッド化した2大農業民族

第二の舞台・後編

モンゴル人、トルコ人、満洲人

第五章 大草原から出て次々と帝国を築いた3大遊牧民族

装幀＊こやまたかこ
地図版作成＊AKIBA
図版作成＊アルファヴィル
イラスト＊角しんさく

第一章 なぜ近代に入って「民族」が重視されたのか

「民族」による〝世界の読み替え〟を進めたヨーロッパ人

各論に入る前に、「民族」という言葉について触れておきましょう。

世界史の教科書でも概説書でも、「民族」についてはスッキリとした説明がなされていません。それは、19世紀に「民族」の中身がヨーロッパで大きく書き換えられたからです。

いったい、なぜそんなことが必要だったのでしょうか？

それまでは、大部族を中心とする「部族の結合体」が「民族」と見なされてきました。王朝（日本の幕藩《ばくはん》体制もそうです）や帝国は有力な「部族」の支配下にあり、皇帝も王も将軍も、言ってみれば部族のボスでした。社会は部族の結合、部族間の抗争、ボスとボスの関係で動いてきたのです。それを「民族」という言葉で表現すると、歴史の重みがぎっしり積もった「重い民族」ということになります。

こうした古い歴史を持つ「重い民族」に対して、19世紀のヨーロッパで生まれたのが「軽い民族」の概念です。

19世紀は、ユーラシアの「辺境」に位置した北ヨーロッパ――寒冷なため人口も増えず、帝国の形成が進まず、たくさんの小国が分立する目立たない地域にすぎなかった――が、海からのグローバリゼーションにより一挙にのし上がった、特殊な時期でした。鉄道網、蒸気船ネットワーク、電信網により世界が地球規模に膨張したことで、それまでの歴史の舞台だったアジアに対し、「小さなヨーロッパ」が優位に立ったのです。

こうしたヨーロッパ優位の状況を立ち上げるのに一役買ったのが、アメリカ独立戦争、フランス革命など一連の市民革命でした。庶民の参加で、社会がパワーアップしたのです。

革命で新たに出現した国（国民国家、nation state）には、「国民」が必要です。しかし、有力な血縁集団（部族）の後ろ盾を持たない庶民が「国民」として政治に参加することを説明するには、それなりの帰属集団が必要になりました。そのため、「民族」（軽い民族）という共同体が考えられたのです。

この「民族」は、机上でイメージされた「人間の集団」だったために抽象的であり、以下を基準にして定められました。

- 肌の色という生物的特色の同一性（人種）
- 言語の同一性（語族）

・歴史の共有、同一空間への居住

これらの基準は生活感を伴わなかったのですが、それでもヨーロッパは、「軽い民族」に基づく「国」が分立することを常態にすることによって、広大な領域に多くの部族の結合体が「帝国」として維持されていたアジアの諸地域を停滞《ていたい》と見なし、世界のイメージの逆転に成功。**ヨーロッパの優位を作りだした**のです。ちょっと整理してみましょう。

・アジア

民族＝大きな部族の結合体＝「重い民族」。民族が単位なので「国」は付け足しにすぎない。そのため、帝国の中にさまざまな民族の共存が可能で、帝国内に言葉も人種も宗教も異なる人々が共存している。

・ヨーロッパ（19世紀〜）

「国」が単位。そこに住む「国民」を説明するために「民族」という言葉が使われた。しかし、この「民族」は部族ではないため、生活実感の伴わない「軽い民族」。基本的に、一国には言葉、歴史を共有する人々が住むとされた。

ご存じのとおり、ヨーロッパの力が強くなったことで、ユーラシアのムガル帝国、清《しん》帝国、オスマン帝国は次々と滅ぼされ、**一国＝一民族**という流れがつくり出されました。そのために、現在のようにはっきりと区別された、「各国の歴史」の寄せ集めからなる世界史（西洋史）が主流になったのです。日本の学校で教えられる世界史がほぼ西洋史であることも、それにより説明できますね。

現在、昔の歴史の枠組みを保存する国の代表は、インドと中国でしょう。両国とも、言葉や宗教、人種が多様かつ複雑です。

抽象的「民族」の発祥・拡散は「ノアの箱舟」で説明された

19世紀にヨーロッパ人が体系化した「民族」（軽い民族）について、もう少し説明しておきましょう。

現在の世界史の教科書では、一連の化石骨の発掘や遺伝子人類学などにより、人類が東アフリカの大地溝帯《だいちこうたい》で約５００万年の進化を遂げたのちに、ユーラシアの各地に移住したと説明しています。

ところが19世紀初めのヨーロッパには、「軽い民族」の体系化による世界の成り立ちの説明が必要でした。しかし、十分な研究、情報の蓄積がありません。そこで「人類の拡散」「民族の誕生」という難問を、『旧約聖書』「創世記」の「ノアの箱舟」の話によって説明するしかなかったのです。

ノアの箱舟の話はご存じですね。人類がノアの一族により再生される話です。神が堕落した人類を滅ぼそうとしたのですが、絶滅させるのは忍びなくなって信心深いノアの一族を残すことにします。旧来の人類が滅ぼされてしまい、ノアの一族が新しい人類になったという話です。

神はノアに箱舟を造るようにすすめ、大洪水を乗り越えさせますが、舟にはセム、ハム、ヤペテという3人の息子たちもそれぞれの妻と一緒に乗りました。

洪水を乗り越えた箱舟が漂着したのが、トルコ東部のアララト山（標高5137メートル）の中腹と考えられています。アララト山の北約30キロが、アジアとヨーロッパの境界のコーカサス山脈です。3人の兄弟はコーカサス地方から南ロシアに移住し、新たに人類を繁殖させ、その際に人種、語族が枝分かれしていったと説かれたのです。

図1　現在の世界史教科書で説明される人類の発祥と移動

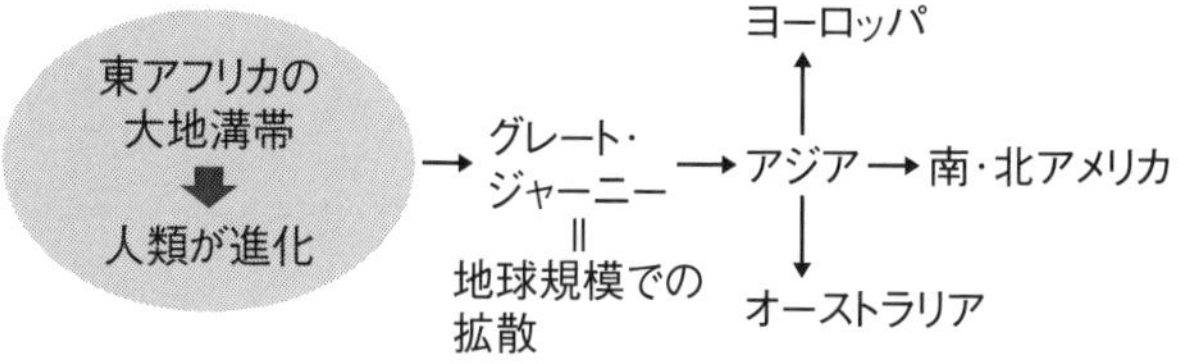

図2　19世紀の西洋人が考えだした人類の発祥と移動

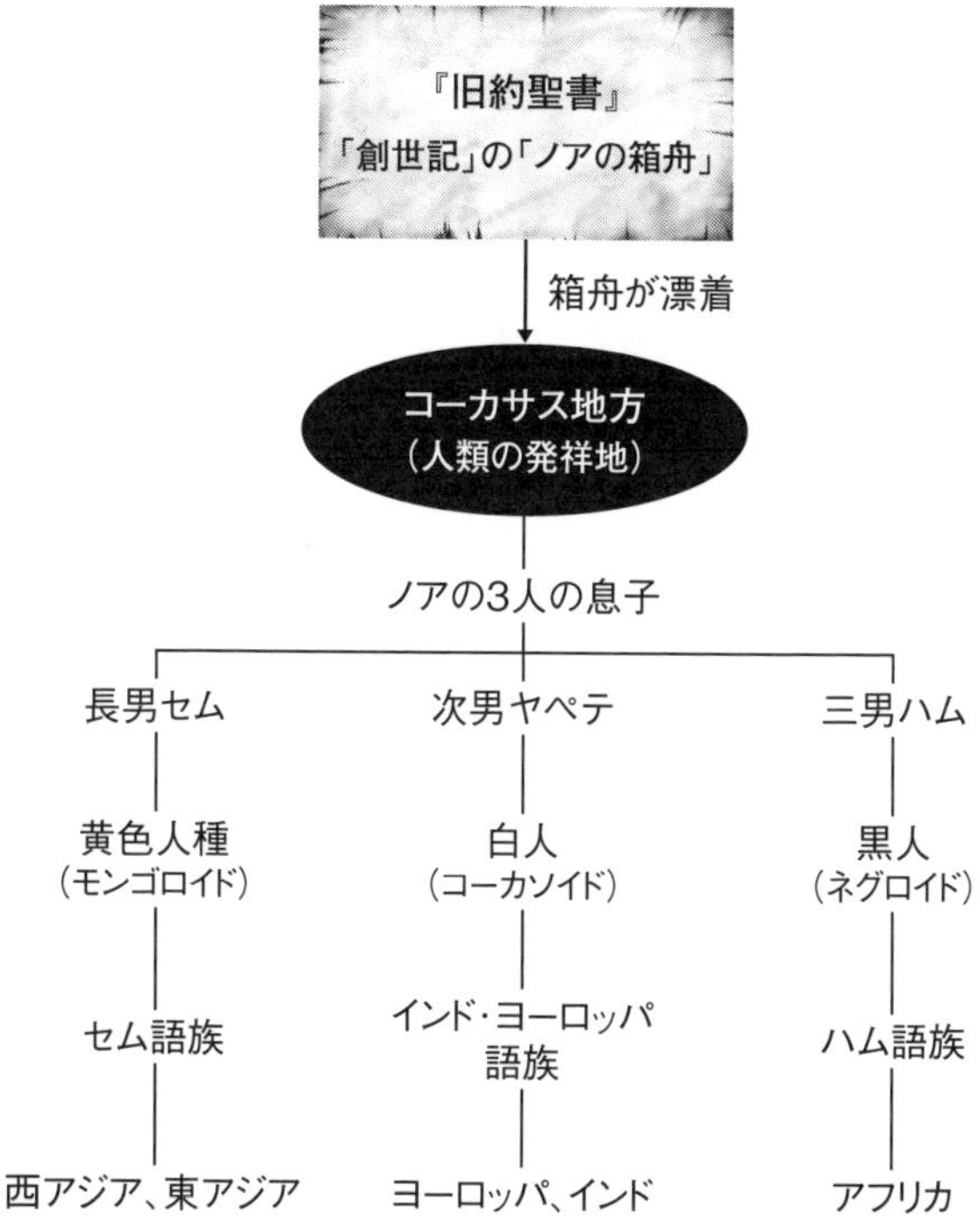

中心はコーカソイド。モンゴロイドは「その他大勢」

ノアの３人の息子はコーカサスから世界に広がりますが、新しい人類を「コーカソイド」（白人）と呼んだのが「人類学の父」と呼ばれるドイツ人の**ヨハン・フリードリッヒ・ブルーメンバッハ**（１７５２―１８４０）でした。

彼は、コーカサス地方に漂着したノアの子供たちを皆、コーカソイド（「コーカサス出身の人種」の意味。白色人種）と呼んだのです。人類を全てコーカソイド（白人）と見なしたわけですね。

しかし、アジア、南・北アメリカなどには有色人種が住んでいますから、それについての説明が必要になります。そこで、次男ヤペテの子孫がコーカソイド（白人）、長男セムの子孫がモンゴロイド（黄色人種）、三男ハムの子孫がネグロイド（黒人）となったと説かれたのです。

それは、以下のように整理されます。

- ユーラシア西部…コーカソイド（白人）
- ユーラシア東部と南・北アメリカ…モンゴロイド（黄色人種）
- サハラ砂漠以南…ネグロイド（黒人）

「語族」という言語による民族の系譜づくり

しかし人種だけでは、大雑把すぎて人類を区分けできません。そこで「民族の履歴書」とも言うべき「言語」が民族を識別する手がかりとして利用されました。

言語の類似性、親近性により「民族」の系譜をたどる学問が、比較言語学です。生物学の系統樹を下敷きにして、同一の祖語から枝分かれしたであろう言語が「語族」と見なされました。

現在、主な語族は以下のように分けられており、19世紀に使われた「セム語族」「ハム語族」というような『旧約聖書』に基づく名称は、一応使われなくなっています。

①インド・ヨーロッパ語族…４４４言語
②アフロ（アフリカの意味）・アジア語族（旧セム語族）…３７５言語
③ナイル・サハラ語族（旧ハム語族）…２０５言語
④シナ・チベット語族…４５７言語
⑤アルタイ諸族（旧アルタイ語族）…チュルク・モンゴル・ツングース・朝鮮・日本語族など
⑥アメリカ先住民諸語…３５０言語
⑦カフカース諸語…コーカサス地方の言語で40言語

この中で、ヨーロッパ人が主要と見なしたのは、①②③の語族でした。ヨーロッパから西アジアを経てインドに至る地域を、歴史の主要な舞台と見なしたのです。

コーカソイドが中心で、モンゴロイドはその他大勢とされたため、アジアや南北アメリカに住む④⑤⑥などの研究は遅れました。そうした語族に属する民族が世界史に本格的に組み込まれるのは、20世紀の後半になってからのことです。

インド駐在の判事が提唱した「インド・ヨーロッパ語族」

ヨーロッパの人々が最も重視したのが、①インド・ヨーロッパ語族というグループでした。西洋史に登場する主要な語族です。

しかし、なぜヨーロッパの言語とインドの言語が、同一のグループに分類されるのでしょう。19世紀前半というと、まだ帆船の時代で、南アフリカの喜《き》望《ぼう》峰《ほう》を越えなければインドに行けない時代です。

実はこの話には、イギリス東インド会社によるインド進出が絡んでいました。１７５７年に行なわれたプラッシーの戦いののち、イギリス東インド会社がベンガル地方の行政権を獲得するのですが、これがイギリスによるインド支配の契機になります。

ウィリアム・ジョーンズ

その際、同地に設けた裁判所の判事として雇用されたのが、イギリス人の裁判官**ウィリアム・ジョーンズ**（１７４６―９４）という人物でした。

暇を持て余したジョーンズは、晩年の9年間を死語になっていたインドの古語サンスクリット語の研究に情熱を燃やします。そして家族の呼び名などの身近な言語、文法が類似していることから、サンスクリット語とヨーロッパの古典ギリシア語、ラテン語が同じ仲間ではないかと直感し、発表したのです。

しかし当時、サンスクリット語が読める人などヨーロッパにはいません。そこで、ろくに検証されないまま、「インド・ヨーロッパ語族」というグループができてしまったのです。ジョーンズの説が、インドの併合を進めたいイギリスにとって好都合だったことは言うまでもありません。

アーリア人が、インド・ヨーロッパ語族の形成を実証した？

ジョーンズの言語学上の指摘を、歴史的事実に変えたのが「アーリア人」という民族の存在でした。

アーリア人とは、アフガニスタンからカイバル峠を越えてインドのパンジャーブ地方に入って、インダス文明をつくった黒人のドラヴィダ人を征服、彼らをシュードラ（奴隷）として北インド一帯を支配しガンジス川に至った民族です。現在ではイラン系の民族だったことがわかっています。

「アーリア」とは、サンスクリット語で「高貴、貴族的な」という意味の自称ですから、ヨーロッパ人にとってはおあつらえ向きでした。

　地理的にヨーロッパはユーラシア大陸の「辺境」でしたから、古代文明の中心地という輝かしいスポットとヨーロッパを、何とか結び付ける必要があったのです。それは、古代ギリシアがルネサンスによりヨーロッパで蘇《よみがえ》ったという論法と通じるところがあります。ヨーロッパ人のコンプレックスを癒《い》やしてくれたのですね。

　アーリア人による北インドの征服をヨーロッパと結び付けて、「アーリアン学説」として定着させたのが、イギリスのオックスフォード大学でインド学を教えていた文献学者の**マックス・ミューラー**（1823―1900）でした。

　ミューラーは、アーリア人がインドからヨーロッパにかけての広大な地域を征服して自らの言語を広めたことから、イ

マックス・ミューラー

ンド・ヨーロッパ諸語が成立したとする仮説を唱えます。さらに、アーリア人が移住していく過程でさまざまな文明が生み出されたと説いたことにより、インドとヨーロッパの結び付きが、「ことば」のレベルから「歴史」のレベルに引き上げられたのです。

その後、「アーリア人」は、ヨーロッパ、ペルシア、インドの諸民族の共通の人種的、民族的な祖先であると主張されました。「諸文明の祖であるアーリア人」というイメージは、それほどヨーロッパ人にとって魅力的だったのです。

ゲルマン民族の移動だけが、なぜ「大移動」とされたのか

前書きでも触れたように、古来、民族の移動は当たり前に行なわれていました。それなのに、なぜゲルマン民族の移動だけが「大移動」と強調されたのでしょうか。日本の教科書でもそのように書かれていますね。

実は、アーリアン学説で、民族的コンプレックスを癒やしたのがドイツ人でした。ドイツ人は、明治維新の3年後にドイツ帝国を成立させ、ようやく民族の統一を実現させまし

た。その後、第二次産業革命の波に乗って急速な経済成長を遂げます。

しかし、ドイツの東に位置するポーランドの先にはスラブ民族の大きな世界があり、西にはローマ帝国を引き継ぐラテン民族の世界が広がっていました。その2大勢力に挟まれたゲルマン民族の世界は、北ヨーロッパに向かってのびる〝田舎〟の地域と見なされていたのです。

農業地域はどこもそうなのですが、ドイツ人は自分たちの国を「民衆の国」と呼んでいました。「ドイツ」という呼び名はゲルマン語のtheodなどに由来しています。これは「民衆」「大衆」の意味で、自らが「並みの国」であることが自認されていたのです。

また、ドイツの中心になったプロイセンはローマ帝国の辺境であり、「訳のわからない言葉を話す人々」の地方だと見なされてきました。ギリシア・ローマの流れを引くローマ帝国中心のヨーロッパ観では輝けなかったのです。

ところが「アーリアン学説」で、ドイツはギリシアよりもずっと古い古代史に直結することができ、ヨーロッパでも有数の名門民族へと飛躍できました。**ドイツ人は、光栄あるアーリア人の直接の子孫であり、「ゲルマン民族の大移動」によってストレートにアーリア人とつながった**と考えることで、コンプレックスから脱却できたのです。そこで、ゲルマン民族の移動は、「大移動」でなければならなくなったというわけです。

ドイツ人は、勤勉で宗教心が強く、荘厳な宗教音楽が大好きです。寒さの厳しい冬が長いからかもしれません。ドイツでは、ドイツ神話と北欧神話を混ぜ合わせた壮大なリヒアルト・ワグナーの楽劇がアーリア人の栄光の歴史と結び付いて、ドイツ人の民族的自尊心を満たしたわけです。

輝かしい出自の証明になるゲルマン人の移動は民族の大イベントで、ドイツ人にとっては「ゲルマン民族の大移動」でなければならなかったのです。それに対して、ラテン人の国であるフランスでの扱いは冷淡で、ゲルマン人を野蛮人と見なし、移動も「大侵入」と見なしています。

ゲルマン民族の〝誇り〟が招いたホロコースト

第一次世界大戦での敗北と戦後のイギリス、フランスによる過酷な報復（ドイツにとことん払わせるという意味で「レモンの種が泣くまでドイツから搾り取れ」と言われた）は、ドイツ人の民族的自尊心をひどく傷つけました。

そのためドイツでは、以下のような言説が広まります。

「栄光あるアーリア人の血を引き継ぐドイツが敗北するはずがない。ドイツに居住するセム系（アジア系）のユダヤ人がアーリア人の血統を汚したために、ドイツ人が惰弱《だじゃく》化して大戦に敗れたのだ。ユダヤ人が悪いのだ」

人種主義によるナショナリズムが台頭したのです。戦争に敗れた屈辱感と生活の窮乏が、荒唐無稽《こうとうむけい》な主張が大衆の間に広がる背景となりました。どこでも起こり得ることです。

そうした民衆の偏見を増幅させて政治的に利用し、「ドイツ人の人種的優越」を宣伝に利用したのがナチスです。

嘘も偏見も繰り返し宣伝されると、事実のように信じられていくもの。これは現代のＳＮＳでも同様です。ドイツにはナショナリズムの下地がありましたから、深く浸透したのです。それが、第二次世界大戦中の「ホロコースト」（「大虐殺」の意味）と呼ばれる約６００万人のユダヤ人の大量虐殺につながりました。

そういえば、日清戦争後の日本の台頭を危険視し、**「黄禍論《おうかろん》」**を振り撒いて欧米諸国に結束を呼びかけ、日本を押さえ込む共同戦線を張ろうとしたのが、ドイツ帝国の皇帝ヴィルヘルム2世でした。人種主義の国際版と言えます。

そうした主張が、第一次世界大戦後のカリフォルニアで起きた日本人移民排斥《はいせき》運動、人種主義者の米大統領フランクリン・ローズベルトの露骨な排日政策と太平洋戦争中の徹底した日本への空襲、大統領令による日系アメリカ人12万人余の強制収容所への収容へとつながっていったのです。

民族主義、人種主義によるナショナリズムがどのような結果を引き起こすのか、私たちは歴史から学ばねばなりません。

第二章

歴史を「三つの舞台」に分けて民族の動きを俯瞰する

農業民、遊牧民、商業民の「棲み分け」が前提

文明の誕生後、それまで狩猟・採集で生活していた人類は、乾燥地帯で**農業民**、**遊牧民**、**商業民**に分かれて棲み分けるようになります。農業のための「水」の確保が難しいために、穀物を生産する農業社会が大河の流域などに限定され、その周辺に穀物を自給できない遊牧民、商業民が棲み着きました。棲み分けが進んだのです。

終戦後に京都大学の今西錦司氏は、動物界でそれぞれの近縁種の集団が相補的な棲み分けを行なっていることに気付き、それを生物界全体に当てはめて、「棲み分け理論」を明らかにしました。それは、3民族の関係を考える際にも有益です。

- **農業民**（食糧生産を担当）…砂漠の大河流域で乾燥に強いムギをひたすら栽培する
- **遊牧民**（軍事勢力）…農業民の周辺の草原で、オスを中心にメスが群居するヒツジ、ヤギなどの偶蹄《ぐうてい》類という家畜の群れを飼う。ウマを利用して軍事化する
- **商業民**（流通を担当）…農業民と遊牧民の間を取り持ち、農業民のムギと遊牧民の畜産品

を交換する

農業民は循環型の地味な生活を繰り返しましたが、畑から離れられないために生活範囲が狭くなり、地縁社会が成長しました。

遊牧民は広範な地域を移動しながら、普段は家畜、毛皮、畜産品などを穀物と交換しました。しかし、疫病の流行、自然環境の悪化などにより生活が常に不安定です。例えば、春先に雪が降り、その後急激に冷えると草の上に氷ができるので、草を食べられなくなった家畜が全滅するようなことが起こります。そうなると当然、食料が尽きてしまうわけで、遊牧民の部族が互いに結び付き、農業民の穀物を略奪するようになります。

こうして遊牧民の騎馬軍団への組織化が進むにつれて征服が常態化し、遊牧民の農業地帯への侵略が繰り返されて、農業民のハイブリッド化（遊牧民族との混血化・雑種化）が進みました。

商業民は交通の便のよい場所に居住し、地理的知識、社交術、多言語、貨幣などを操り、穀物、鉱物、畜産品の売買に従事しました。彼らは「穀物の循環」を円滑にする活動をしたのです。

「資源地域」と「交通地域」をセットにして考える

文明が誕生したのち、農業民は穀物の生産に従事して社会を安定させるはずでした。しかし生産量が不十分だったために、穀物の奪い合いが激化し、逆に社会の不安定化が進むというパラドックス（逆説）が生じることになります。「穀物の循環」を飯の種とする商業民も、利益を上げるためにさまざまな企みをしました。

穀物の偏在や不足が諍《いさか》いを拡大して、争いの中から有力部族が台頭したわけですが、ウマという強力な軍事力を持つ遊牧民が圧倒的に有利になったのは言うまでもありません。

こうした農業民、遊牧民、商業民の3民族の穀物を巡る争いは、「**資源地域**」と「**交通地域**」を組み合わせて考えるとわかりやすくなります。

- **資源地域**…穀物を供給する食糧庫。農業地域。
- **交通地域**…資源地域の周辺。遊牧民、商業民が活動する砂漠、草原、海などの地域。

図3　遊牧世界と農耕世界

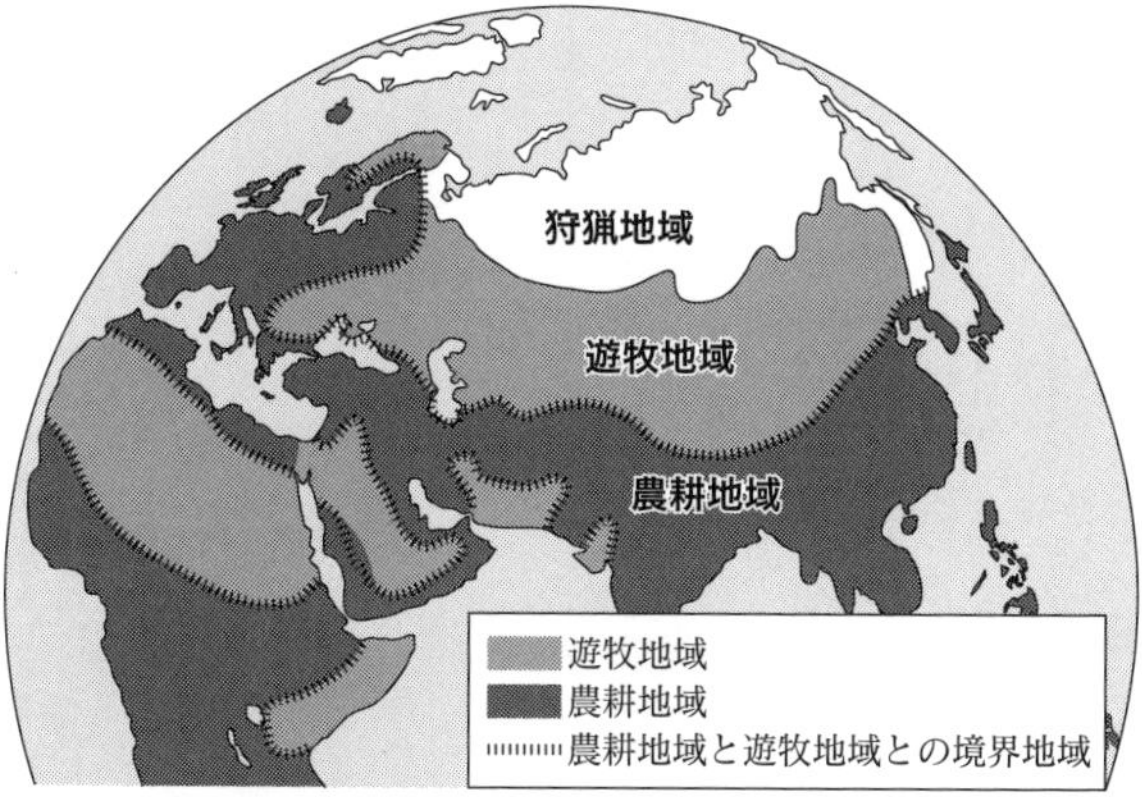

※岡本隆司『世界史とつなげて学ぶ中国全史』より引用

アフリカ大陸の遊牧地域は草原ではなく砂漠で、かつウマがいなかったため文明が長く育たなかった。

図4　資源地域と交通地域の関係

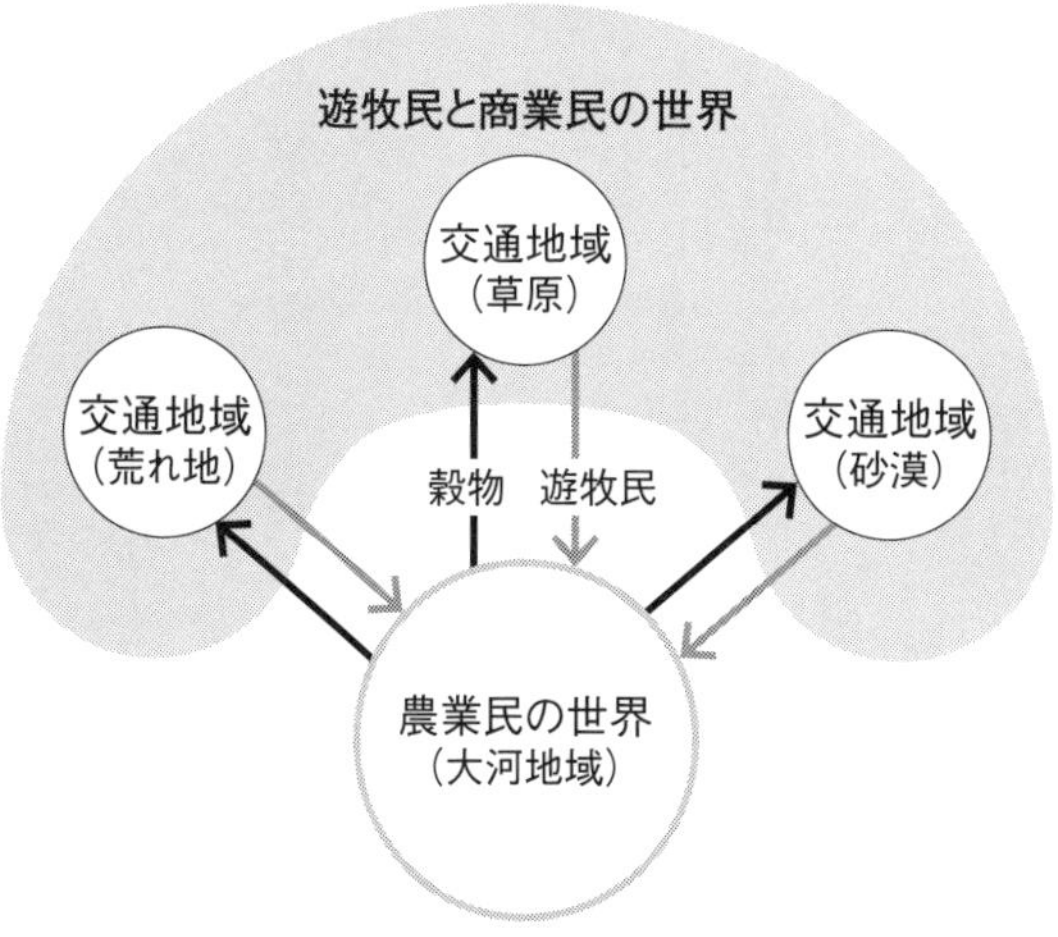

「資源地域」では「交通地域」からの遊牧民の軍事侵入・移住などで混血が進み、ハイブリッド化が絶えず繰り返されました。そのために部族の分立が続いて、「民族」の形成が遅れました。それに対して、「交通地域」の軍事勢力の遊牧民は、部族の結合と農業民の支配・混血で大民族に成長していきました。

全体的な傾向として、**資源地域の周辺から何度も大民族が出現して世界史の興亡が繰り返された**のです。

「三つの舞台」の設定による10大民族の選択

世界史では、広大な地球で展開されてきた諸地域の歴史をどういう枠組みの下で捉えるかにより、それまで見えなかったものが見えてくるようになります。本書は10大民族が中心になりますから、教科書に見られるような各国史の組み合わせでは、民族の機械的な寄せ集めにはなっても、民族の世界史にはなりません。

そこで、**古代の西アジアと地中海**（第一の舞台）、**中央アジアの大草原と中国・インド**（第

二の舞台）、大航海時代以降のヨーロッパと新大陸（第三の舞台）の三つのステージに分けて、10大民族を世界史に位置づけました。**世界史は、3枚の地図で理解できるのです。**

従来の世界史は、農業社会が工業社会に成長するという視点で単純に捉えられてきましたが、安定した農業社会がダイナミックに世界史を動かすことは、まずありません。そうした事実がクリアーになるように「資源地域」と「交通地域」の組み合わせが考えられたわけです。世界史は、頭の体操です。

本書では、以下のように「資源地域」と「交通地域」の組み合わせからなる「三つの歴史舞台」を設定し、そこで活躍した10大民族をつなげていくかたちになっています。

古代の西アジアと地中海　第一の舞台

古代の西アジア・地中海は、エジプト・メソポタミアを「資源地域」（日本の関東と九州を合わせたくらい）、その周辺のイラン高原（日本の約4・5倍）、地中海（日本海の約2・6倍）、アラビア半島（日本の約6倍）を「交通地域」とする、わかりやすい世界です。

第一の舞台

海
カスピ海
イラン高原
砂漠・荒れ地が80
％で日本の約4.5倍
イラン民族
ペルシア帝国樹立
メソポタミア
（資源地域）
ペルシャ湾
アラビア半島
ほとんど砂漠で日本
の約6倍
アラブ人
イスラーム帝国樹立
紅海
アラビア海

数が少ないラテン人はガリア征服以降、ケルト人を通じてヨーロッパ化していく
黒
地　中　海
「乾燥の海」で日本海の2.5倍
ラテン人
ローマ帝国樹立
エジプト
(資源地域)
「資源地域＝農業地域」が狭く、その地の農業民は征服されてアラブ人に変わる

中心となる資源地域が狭いこの歴史の舞台では、「資源地域」は、周辺に勃興する帝国に次々と征服されて自立性を保てず、メソポタミアのシュメール人もエジプト人も最終的に、イスラーム帝国の下でアラブ人に変わってしまいます。

それに対して、周辺の「交通地域」から、前6世紀に❶**イラン人**のペルシア帝国、前1世紀に❷**ラテン人**のローマ帝国、7世紀に❸**アラブ人**のイスラーム帝国が相次いで建設されていきます。

中央アジアの大草原と中国・インド

第二の舞台

中央アジアの東西8000キロにまたがる大草原が、次の時期の主な「交通地域」になりました。そこは、西のハンガリー平原から南ロシア草原、カザフ草原、モンゴル高原、満州《まんしゅう》平原というように大草原が連なり、前6世紀のスキタイ人の騎馬技術が普及した結果、遊牧民の騎馬軍団が活躍する広大な空間になりました。

この大草原の南は、モンゴル高原に直接つながる中国、大砂漠を介した西アジア（イスラーム世界）、アフガニスタンからカイバル峠を通って進出できるインド（北にヒマラヤ山脈があり直接は進出できず）などの資源地域があり、北にはロシアの森林地帯が広がりました。第二の舞台では「資源地帯」の中国、インドが非常に広大だったために、ハイブリッド化（37頁）と棲み分けにより農業世界の独自性が維持されました。

第二の舞台で、**遊牧民と農業民の間で最も激烈な穀物を巡る争いが繰り返されたのが、モンゴル高原と中国の間**でした。前5世紀に始まる中国の戦国時代以降、激しい興亡の歴史が展開されます。

月からも見えるといわれる大建造物、万里の長城（現存する主要部分の長さ３０００キロ、総延長は1万２０００キロ）は決して「無用の長物」ではなく、ユーラシアで繰り広げられた遊牧民と農業民の決戦のシンボルなのです。

「資源地域」の中国とインドは多民族からなる「農業世界」ですが、それぞれにシステムを工夫して、農業世界としての一体性を何とか保ちました。言語的に不統一ですから、ヨーロッパ的な基準からすると「民族」とは言えないのですが、世界史を考える際にこの2大農業世界は落とせません。したがって、**❹インド人**と**❺漢人（中国人）**を「複合的民族」という括《くく》り方で10大民族に加えました。これは、当然の配慮です。

第二の舞台

中央アジアの大草原という「交通地域」から出たモンゴル人、満洲人、トルコ人がそれぞれに大帝国を建てた

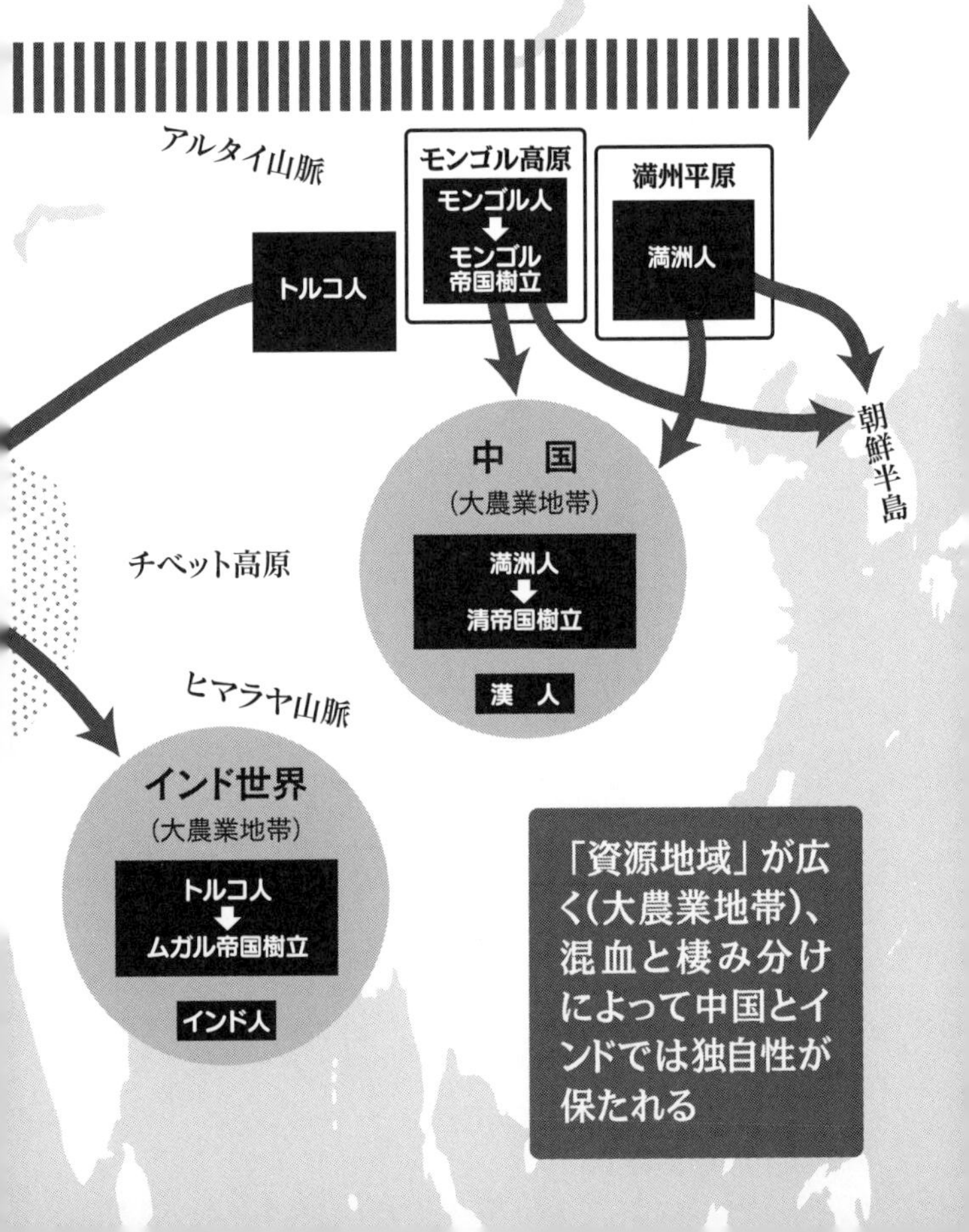

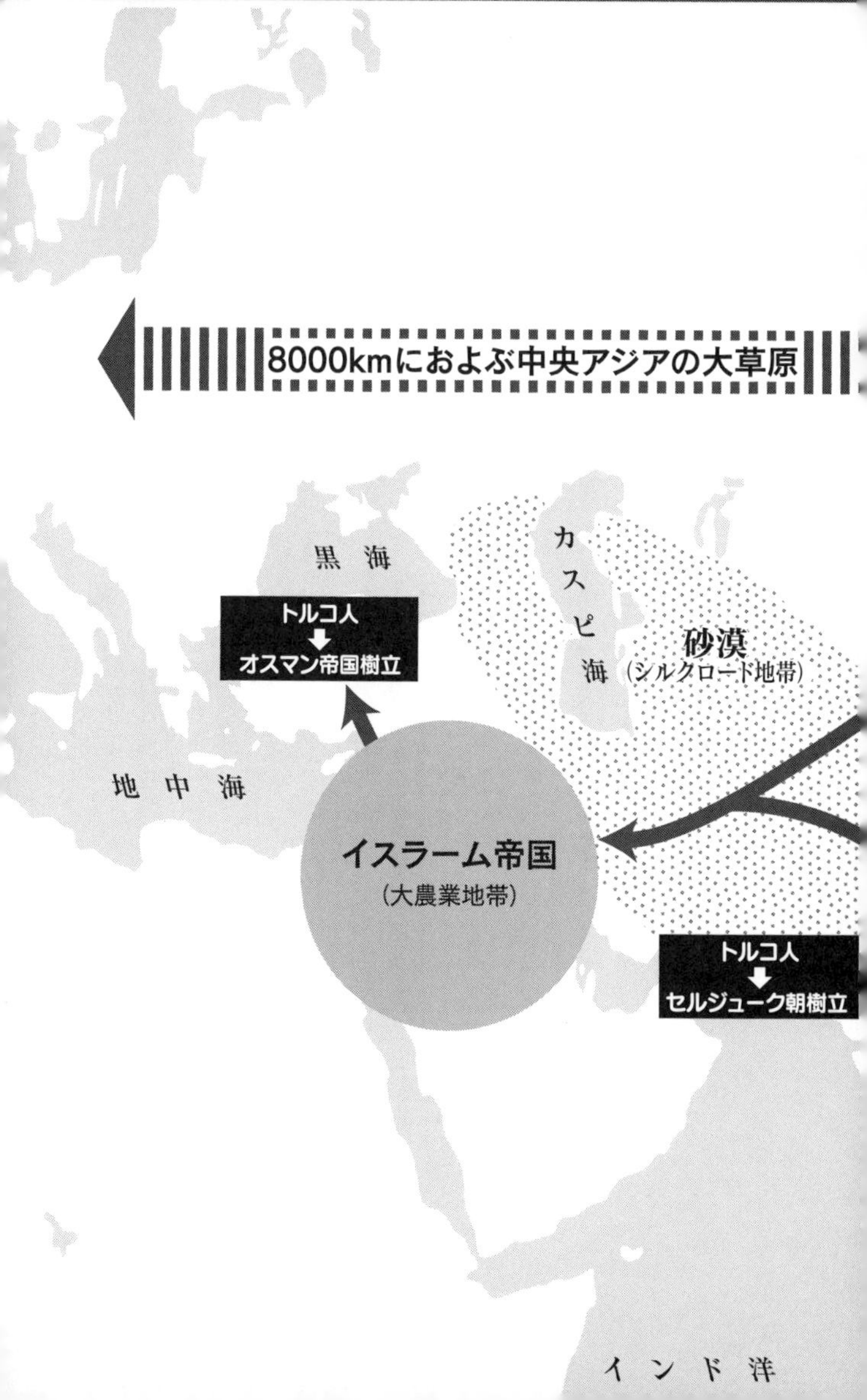
8000kmにおよぶ中央アジアの大草原
黒海
トルコ人
オスマン帝国樹立
カスピ海
砂漠
（シルクロード地帯）
地中海
イスラーム帝国
（大農業地帯）
トルコ人
セルジューク朝樹立
インド洋

図5　「三つの舞台」と10大民族の分布

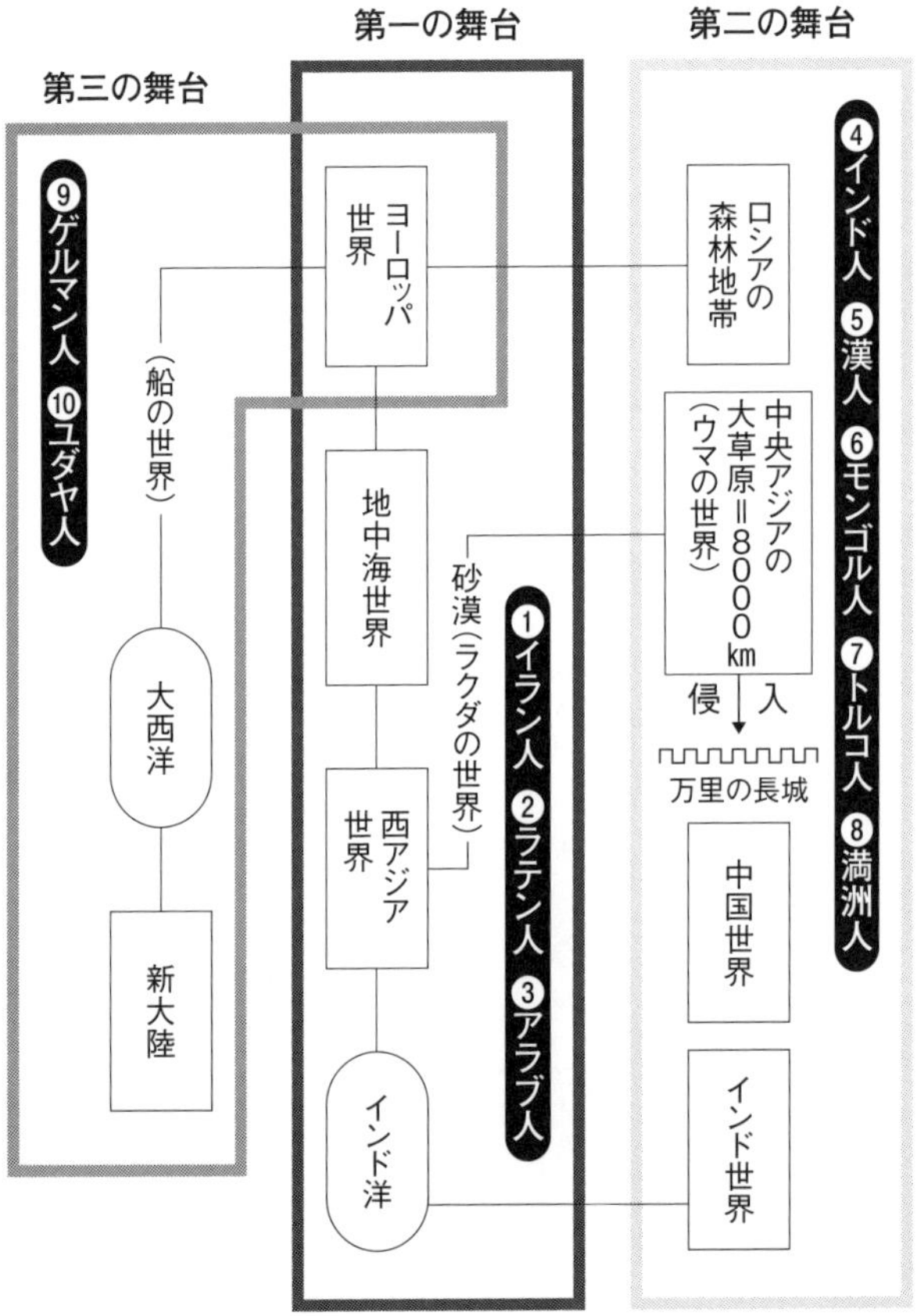

「交通地域」の大民族としては、まず、モンゴル高原にとどまって中国の王朝との食糧争奪戦を繰り返し、13〜14世紀にはユーラシアを一体化させるモンゴル帝国を築いた❻**モンゴル人**がまず挙げられます。

次に、モンゴル高原で活躍したあと、中央アジアの商業路沿いに西に移動してシルクロードを支配し、さらにアラブ人からイスラーム帝国を奪ってセルジューク朝を建て、最終的には地中海のオスマン帝国を建てるという派手な活躍をした❼**トルコ人**、そして数々の幸運によって東アジア最大の清《しん》帝国を建てた❽**満洲人**を取り上げます。

大航海時代以降のヨーロッパと新大陸 ―― 第三の舞台

大航海時代以後、「陸」ではなく「海」から地球規模で世界を見直す新しい地球観が生まれました。それによって地球規模の世界を海からつくり上げたのがヨーロッパ人です。

ヨーロッパ人は大西洋を中心に海の世界を広げ、大西洋・インド洋・太平洋を結ぶ地球規模の「交通地域」をつくり、新大陸をはじめとする世界各地に「プランテーション（資

第三の舞台

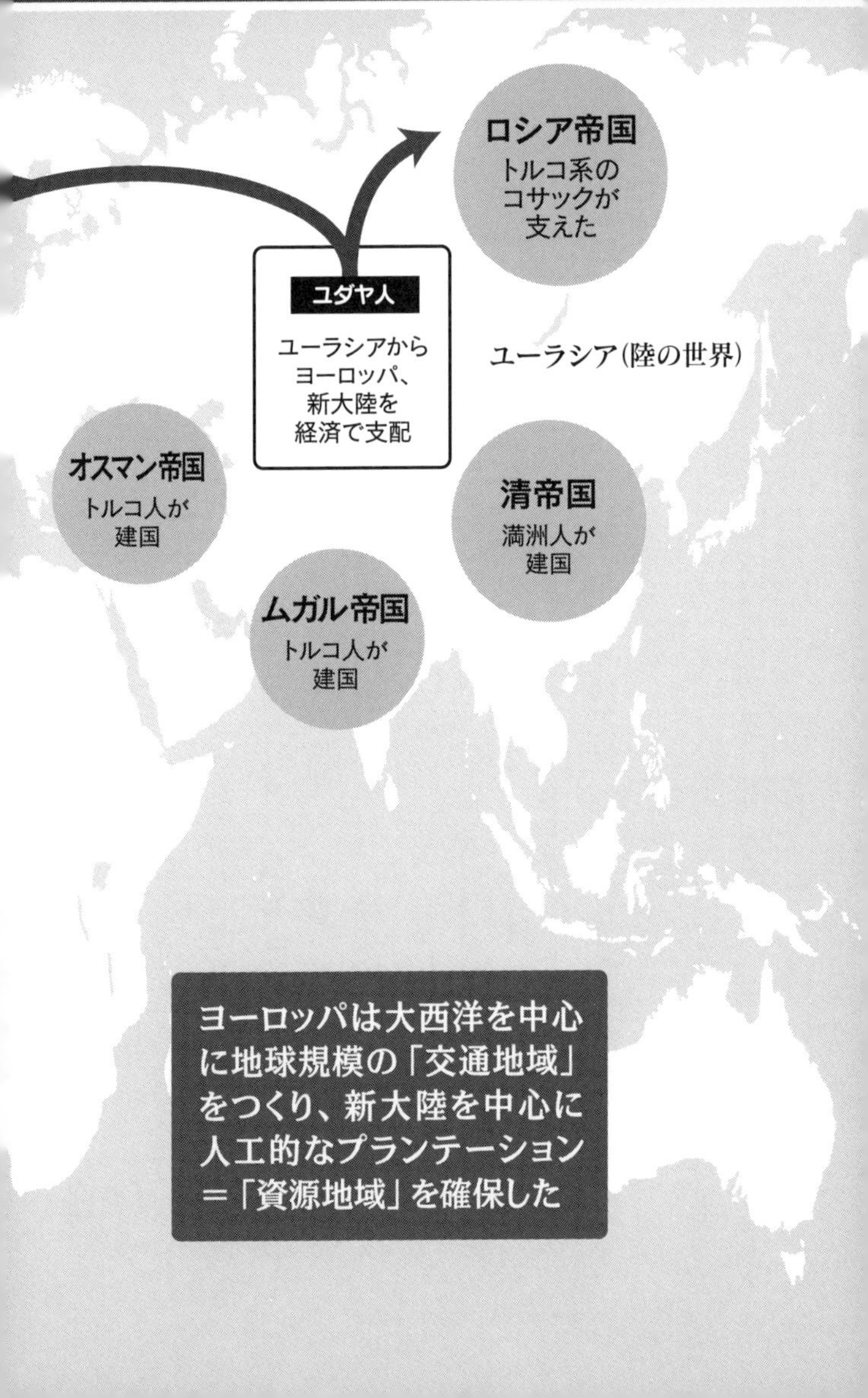
ロシア帝国
トルコ系の
コサックが
支えた
ユダヤ人
ユーラシアから
ヨーロッパ、
新大陸を
経済で支配
ユーラシア(陸の世界)
オスマン帝国
トルコ人が
建国
清帝国
満洲人が
建国
ムガル帝国
トルコ人が
建国
ヨーロッパは大西洋を中心
に地球規模の「交通地域」
をつくり、新大陸を中心に
人工的なプランテーション
＝「資源地域」を確保した

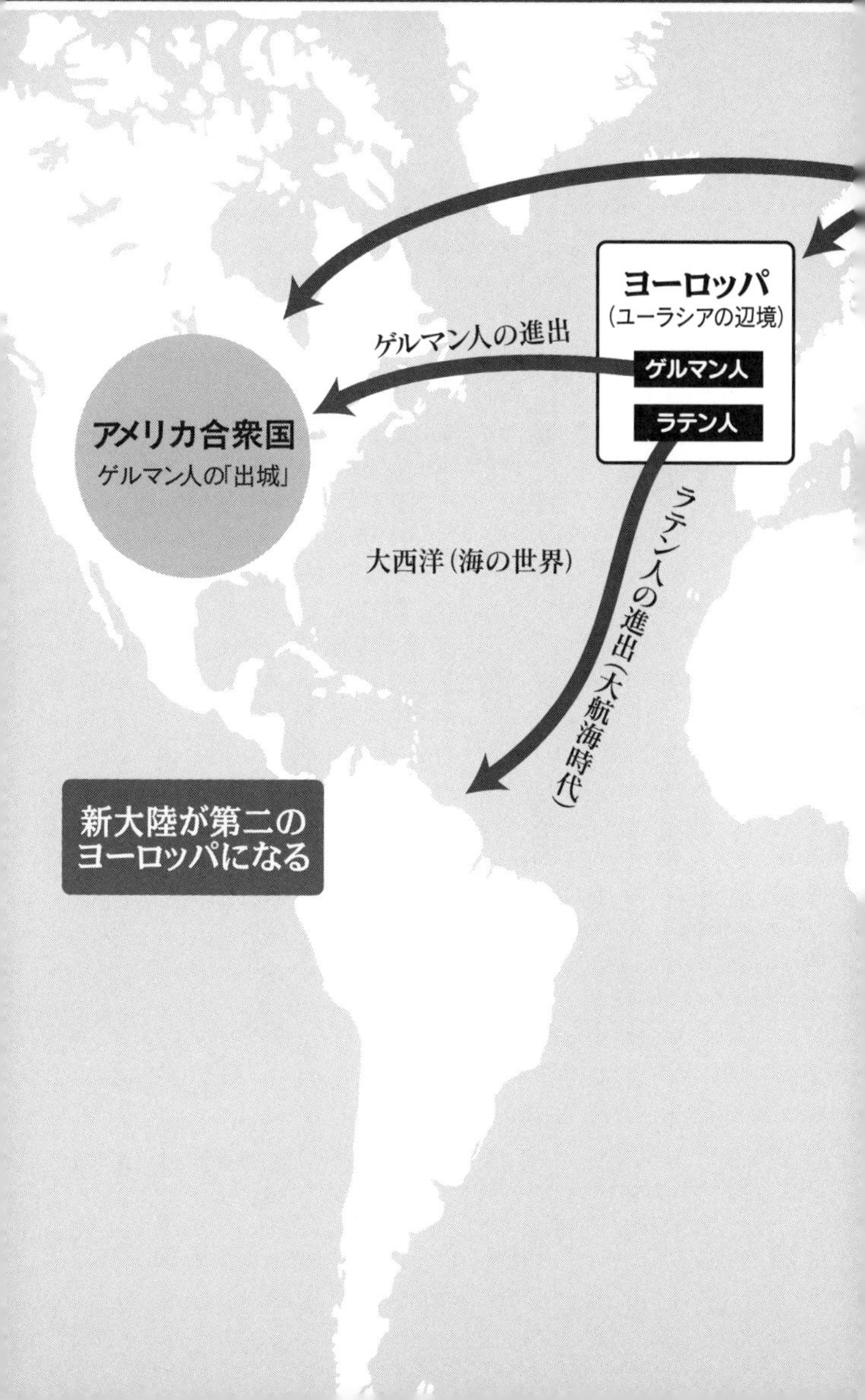
ヨーロッパ
（ユーラシアの辺境）
ゲルマン人
ラテン人
ゲルマン人の進出
アメリカ合衆国
ゲルマン人の「出城」
大西洋（海の世界）
ラテン人の進出（大航海時代）
新大陸が第二の
ヨーロッパになる

本主義的経営の大農場)」をつくって、植民地として人工的な「資源地域」を確保しました。

ヨーロッパ人は、資本主義経済と国民国家により世界を「ユーラシア」から「地球」規模に拡大したのです。この時期には「国」(国民国家)が「民族」に代わって世界史の興亡を担いました。その時代に中心的な役割を果たしたのがアングロ・サクソン人とドイツ人です。この二つの民族は**❾ゲルマン人**として括《くく》ることができます。

また、この歴史の舞台では、地球規模の資本主義経済の形成に大きな役割を果たした商業民の**❿ユダヤ人**を取り上げる必要があります。

以上、三つの舞台の設定とそれに基づく10大民族の選択が終わりました。次章からは、それぞれの世界で活躍した10の民族を通して世界史の興亡を語っていきたいと思います。

第三章　西アジアと地中海で勃興し〝歴史の基礎〟を築いた3大民族

第一の舞台

イラン人、ラテン人、アラブ人

小さな資源地域は、最終的にイスラーム化した

◉メソポタミアとイラン高原、アラビア半島、地中海

まず世界地図を見てみましょう。文明が誕生した時期の「生産地域」は、エジプトとメソポタミア（現在のイラク）でした。エジプトが最も豊かだったことは言うまでもありませんが、東西を砂漠に囲まれた閉鎖的空間だったために、メソポタミアが主要な農業地域になりました。

メソポタミアのムギを栽培できる地域は関東地方程度の広さで、南部を中心に約20の都市国家に分かれていました。「資源地域」の規模が小さかったのです。エジプトの農業地域も九州程度の広さでした。それが、西アジアの歴史で遊牧民が中心になった理由です。

周辺の「交通地域」は、東の**イラン高原**（日本の約4・5倍の面積）、南西の**アラ**

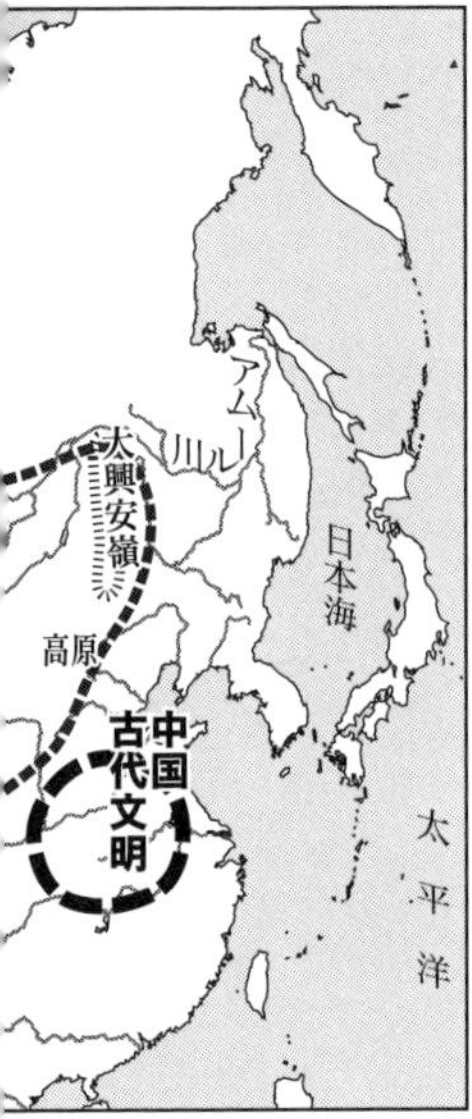

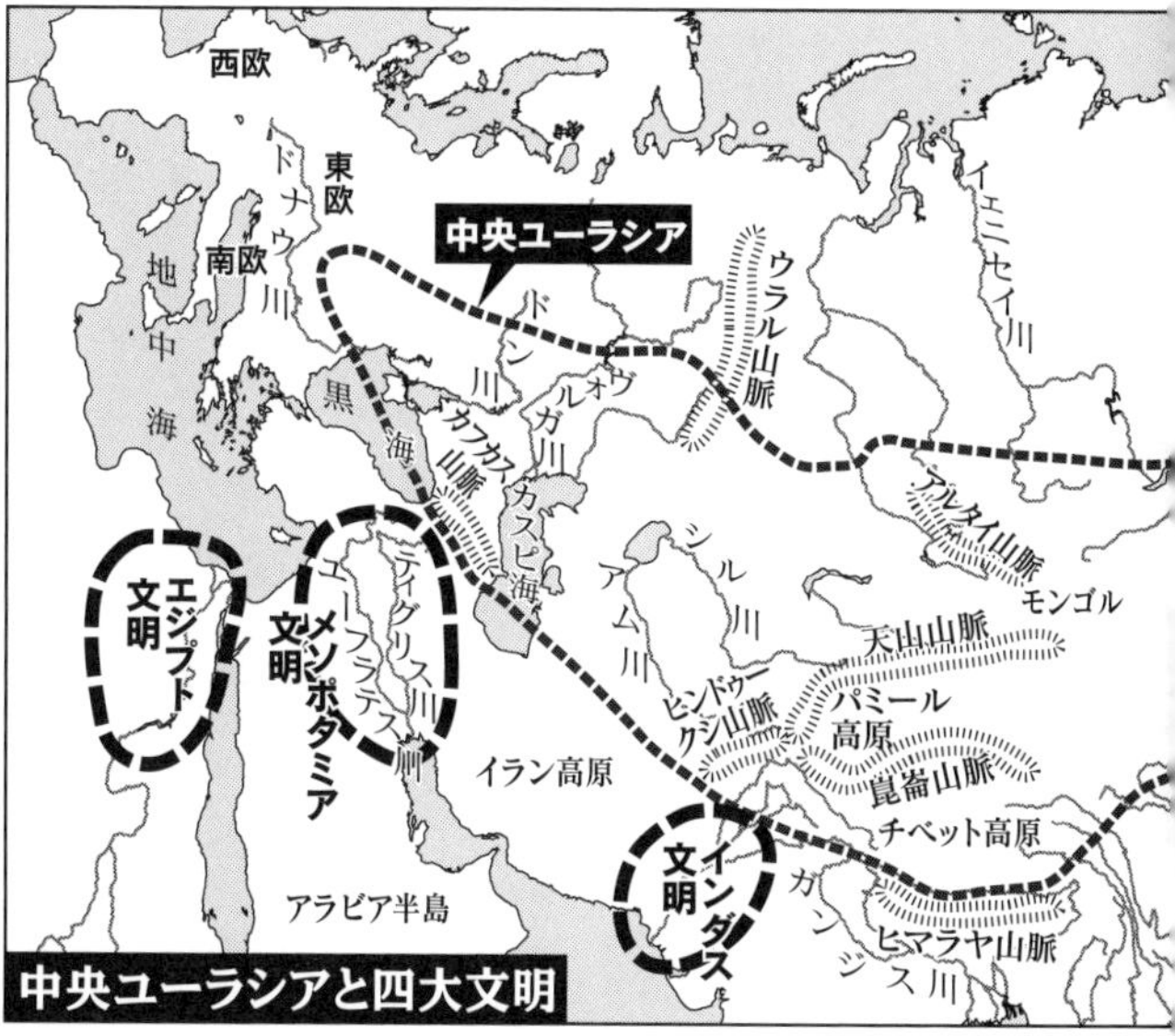

中央ユーラシアと四大文明

ビア半島（日本の約6倍の面積）で、いずれも砂漠と荒れ地が大部分で遊牧民が生活していました。西の**地中海**は面積が約250万平方キロ（日本海の約2・6倍）の「乾燥の海」で、やはり穀物を主にエジプトに依存する「交通地域」であり、商業民のフェニキア人と後発のギリシア人の間で激しい商業覇権の争いが展開されました。

◉消えたエジプト人とシュメール人

砂漠の中を流れるナイル川の増水がもたらす肥沃《ひよく》な「黒い土」（タ・ケムト）で生活するエジプト人は、洪水が運んできた肥沃な腐植土を耕作して生活する者という共同意識を持って、ファラオ（王）の下で生活しました。

彼らはナイル川の水が利用できる幅数キロの土地をケムト（黒い土地）と呼び、水が及ばない土地をデシェレト（赤い土地）と呼んで恐れました。砂漠の中を地中海に向かって流れるナイル川は、唯一の交通路でもありました。

農業に必要な灌漑《かんがい》は、ギリシアの歴史家ヘロドトスが「エジプトはナイルの賜物《たまもの》」と記したように、基本的にナイル川がやってくれました。灌漑自体は、メソポタミアよりずっと容易だったのです。

しかし、その分ナイル川では、洪水の時期を正確に予測しなければなりません。そこで自然の観察が盛んになり、日の出の時期の東の空にシリウス星が輝く時期に洪水が起こる（モンスーンがエチオピアで長期に降らせる長雨によって洪水が起こるため、規則性がある）ことを突きとめ、その循環をもとに太陽暦をつくり出します。

この「エジプト」人という呼び名はギリシア人から見た呼称で、首都メンフィスのど真ん中にあるプタハ神（創造神）の神殿からきています。エジプトの呼称のもとになるのは、ギリシア語の「アイギュプトス」であり、「プタハの神殿がある場所」の意味です。

ちなみに、**農業民の特徴として、呼び名が「外」から付けられる**ことが挙げられます。

「内」にいるのは同じ民族（部族）ですから、呼び名は特に必要がなかったためです。

大穀倉地帯のエジプトは、「交通地域」のペルシア帝国、ローマ帝国、イスラーム帝国に次々と支配され、最終的にはアラブ人に吸収され、アラビア語で「ミスル」と呼ばれるようになります。「ミスル」とは、アラブ人が支配の拠点として築いた「軍事都市」を意味する言葉です。

一方、メソポタミア南部で農業社会を開いたシュメール人は、ウル、ウルクなど約20の都市国家を建て、乏《とぼ》しい水を巡って抗争を繰り返しました。彼らは、自分たちを「黒頭の民」、その土地を「王の土地」と呼んでおり、ひとまとまりの民族という発想はありませんでした。「シュメール」という名称も、北からの侵入を繰り返した遊牧民、アッカド人による呼び名だったのです。

前２３００年頃、アッカド人のサルゴン1世が、「シュメール及びアッカドの王」としてシュメール人を支配します。その後、一時的にシュメール人が独立を回復してウル第３王朝を建てますが約１００年間しか続かず、イラン高原から下ってきた遊牧民に吸収されてしまいました。

このようにして、古代の「資源地域」であるエジプトとメソポタミアの農業民は、「交通地域」の遊牧民の支配下に入り、最終的には共にアラブ化してしまいます。

なお、この第一の舞台では、エジプトとメソポタミアからなる「資源地域」の穀物生産力が低かったために、舞台そのものも、第二・第三の舞台と比べるとずっと小さくならざるを得ませんでした。

◉順に覇を唱えたイラン人、ラテン人、アラブ人

エジプト・メソポタミア周辺の「交通地域」の遊牧民・商業民は、次に述べるようにイラン高原、地中海、アラビア半島の順で大帝国を建てました。

メソポタミアの東が、砂漠・荒れ地が8割を占め、現在のイラン、アフガニスタン、パキスタンにまたがるイラン高原です。そこからメソポタミアに進出して大帝国を組織したのが、アケメネス朝（前５５０―前３３０）、パルティア（前２４７頃―後２２４）、ササン朝（２２６―６５１）を建てて、約１０００年間にわたり西アジアを支配した**❶イラン（ペルシア）人**です。

アケメネス朝は世界初の大帝国で、エジプト・メソポタミア・インダスの3大文明を統合して世界史を新しい段階に引き上げました。

そのアケメネス朝を東方遠征により征服したのが、マケドニアのアレクサンドロス3世（アレクサンドロス大王。前356—前323）です。アレクサンドロス3世は、ペルシア帝国の王になることを目指しましたが、志《こころざし》半ばでマラリアに倒れました。

その後地中海では混乱が続きますが、エジプトの「資源地域」を支配するために地中海の❷**ラテン人**と商業民ギリシア人が提携。ポエニ戦争（前264—前146）で大商業民のフェニキア人を倒してローマ帝国を建設（前27）します。ローマ帝国は、地中海世界を統合しただけではなく、ガリア（現フランス）などへ勢力圏を拡大し、のちのヨーロッパ世界の基礎を築きました。

7世紀になると、ビザンツ帝国（ローマ帝国）とササン朝（ペルシア帝国）が互いに争い合いながら弱体化しますが、その隙を突くように、ムハンマドが創始したイスラーム教団に結集したアラビア半島のセム系の❸**アラブ人**が台頭します。

彼らが大征服運動を展開して「第一の舞台」を再編・統合し、イスラーム帝国を築きました。イスラーム帝国の出現により、西アジア・地中海は、中世のイスラーム世界として再出発することになります。

それでは次から、この歴史舞台の3大民族の話に入りましょう。

❶イラン人——1000年間も西アジアを支配し「世界史の基盤」をつくる

◉3大文明を統合した大帝国アケメネス朝

世界史の教科書にあるように、インド・ヨーロッパ語族のイラン（ペルシア）人は、ウマに引かせる軽戦車（チャリオット）による軍事征服で、エジプト、メソポタミア、インダスの諸文明を統合し、前6世紀から200余年間も続く**世界初の本格的大帝国**（**アケメネス朝ペルシア帝国**）を築いて、メソポタミアとエジプトの穀倉地帯を支配しました。

ペルシア帝国は、前6世紀頃にイラン高原から地中海に至る大領域を20のサトラペイア（州）に分け、王の部族と代々の家臣の部族員を**サトラップ**（州の守護者、総督）として中央から派遣します。

ゾロアスター教の光明神アフラ・マズダの代理人と称したペルシア王の権威により、征服した各地の部族長、都市を柔軟に支配したのです。文明化が遅れていたイラン高原から出てきたペルシア人はそれを自覚しており、イラン高原の南麓に**ペルセポリス**という巨大な王の宮殿を建て、毎年、暦をつくる壮麗な儀式を繰り返すことで神格化された、王のパワーにより大領域を統合したのです。

また**ペルシア帝国は、通貨を最初に定めた帝国**でもありました。各地で膨大な量の銀を税として徴収し、それを銀貨に鋳《い》直して全土で流通させたのです。通貨は「動くお金」で日常生活に役立つ便利な道具でしたから、その循環を管理することにより諸民族の生活を支配できたのです。

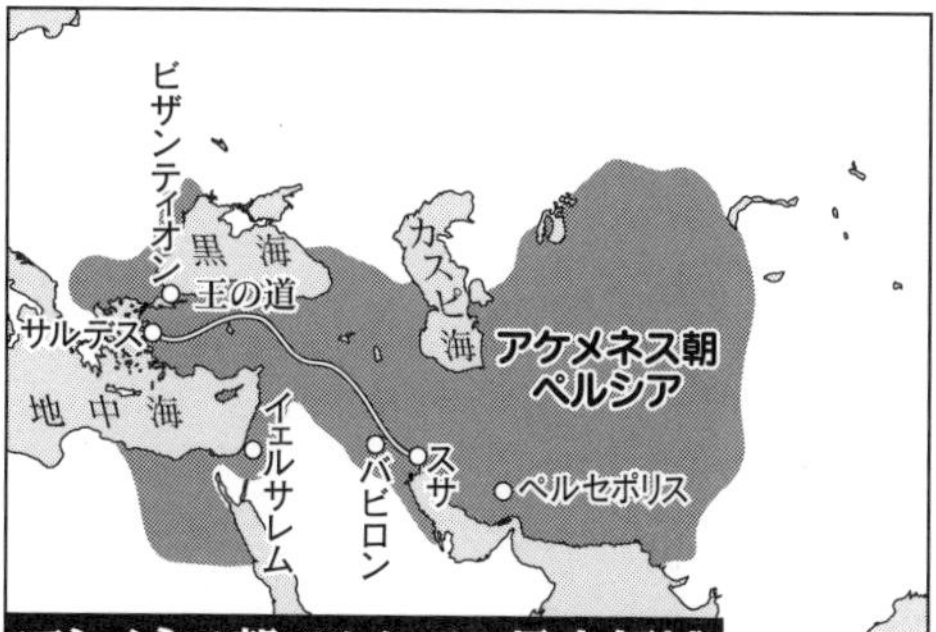

アケメネス朝ペルシアの最大領域

ペルシア帝国は、高い文明を持つがゆえに強引な集権化を進め、諸民族の反発により短期間で国を滅ぼした商業民アッシリアの失敗から学び、地方の各部族の権益、習慣、宗教を認め、次のような柔軟な支配を行ないました。

①シリアの砂漠の商人アラム人の言葉を公用語とする
②「王の道」（メソポタミアの中心スサからトルコ半島の経済の中心サルデスを結ぶ）を中心とする大道路網を建設する
③駅伝制の創始
④コインを通貨（「動くお金」「循環するお金」）とする

このように、商業民が長い歳月をかけてつくりあげたノウハウを巧みに組み合わせたことで、商業的帝国として約２００年間存続できたわけです。

世界史的に見ると、アケメネス朝の成立を基準に、文明の誕生以来の５０００年間の歴史は、帝国以前と以後に2分されます。

帝国は、文字・暦《こよみ》・度量衡《どりょうこう》・法律・政治制度などを統一することにより、現在の東アジア、西アジア、南アジア、地中海などの**諸地域世界の土台**を築いていくことになります。しかし、アケメネス朝はサトラップの自立化、支配民族の思い上がり、ぜいたくなどで次第に権威を失って衰退。被支配民族の反発で力を落としました。

それは、現代に至るまで一貫した歴史の法則です。「売り家と唐様《からよう》で書く三代目」という諺《ことわざ》があるように、創業者は苦労するのですが、当たり前のように富と権力を引き継いだ2代目、3代目は贅沢に明け暮れて時代の変化に対応できず、身代《しんだい》を傾けることは、世界史の中でも日常的に繰り返されてきたのです。

衰退したアケメネス朝に最後の一撃を加えたのが、遊牧民の騎馬戦術とギリシアで発達した重装歩兵の集団戦法を組み合わせた、マケドニアのアレクサンドロス3世（大王）の東方遠征でした。弱冠20歳のアレクサンドロスが大帝国のアケメネス朝を倒した（前３３

０）ことは、大変な壮挙といえます。
しかし冷静に考えてみると、アケメネス朝が創設された当時の、ウマに引かせる二輪戦車の戦法（それはペルシア帝国で踏襲《とうしゅう》されていたのですが）が、時代遅れになっていたことが大きかったのです。

◉ササン朝は再建された帝国だった

アレクサンドロスが暴飲とマラリアで早死にしたのち、西アジア、地中海は混乱状態に陥り、西アジアでは遊牧系イラン人が**パルティア**（前２４７頃―後２２４）を建てます。

建国者の名からアルケサス朝とも呼ばれるこの王朝については、西アジアを旅した前漢《ぜんかん》の張騫《ちょうけん》が「安息《あんそく》」として王朝名を伝えていますが、西アジアでは部族の出身地であるイラン高原北東部の名をとってパルティアと呼び習わされています。侵略者と見なされたのですね。

その後、パルティアの貴族と連合した有力な農業部族が**ゾロアスター教**を国教として、かつてのペルシア帝国の再建を目指す**ササン朝**（２２６―６５１）を建てます。ササンとは、パルティア崩壊期のゾロアスター教の高位聖職者の名前です。その部族が、ゾロアスター教を使って「第二のペルシア帝国」と呼ばれる大帝国を築き上げたわけです。

当時のローマ帝国は、50年間に皇帝が26人も入れ替わるという大混乱期（軍人皇帝時代。２３５―２８５）でしたから、ササン朝は西アジア・中央アジアから地中海にまで影響力を及ぼす大帝国となりました。

イラン人は、アケメネス朝とササン朝という２大帝国により、１０００年間にわたりゾロアスター教による広域支配を行ない、西アジア、地中海、中央アジアに大きな影響を与える大民族になったのです。

６４２年にササン朝が滅び、アラブ人のイスラーム教による支配がなされてから、まだ１４００年余りです。それよりもいくらか短い期間、ゾロアスター教によるイラン人の時代が続いたのです。

◉「ポロ競技」の広がりから見る、イラン民族のパワー

ポロ競技というスポーツをご存じでしょうか。ウマに乗って行なうホッケー競技というとわかりやすいと思います。その競技用に作られたシャツが、皆さんが夏に着るポロ・シャツです。ポロ競技は知らなくても、ポロ・シャツはご存じですよね。

アメリカの服飾メーカー、ラルフ・ローレンは、１９６０年代の末にユダヤ系デザイナーのラルフ・ローレンが創業しました。この会社のロゴは「ウマに乗ってスティックを振りかざすポロ競技者」とＰＯＬＯの文字です。

ポロに興じる女性の唐三彩。イラン人発祥のこの競技は唐でも大流行した。

この勇壮なスポーツは、19世紀にイギリス人がインドで知り、本国に持ち帰って、４人の競技者がチームを組んで球をゴールに入れることを競い合う近代競技にしたのですが、実は遊牧民のペルシア人が起源の競技なのです。

最初はウマに乗ってヤギを奪い合う「ブズカシ」（ペルシア語で「ヤギを引きずる」の意味）という遊びだったのですが、それが前6世紀にアケメネス朝の下で国技になり、名称が「チャウガン」に改められました。このゲームは騎馬軍団の訓練用の競技として、インド、チベット、中国に至るまで広く普及する国際的な競技になりました。

そもそもポロという呼び名は、チベット語に由来するという説があります。チベット語で「球」を「プル」と呼び、それがポロになったというのです。

モンゴル系の鮮卑《せんぴ》人が起こした唐《とう》（618―907）でもポロは大流行し、女性もウマに乗ってスティックを振りかざしました。唐三彩《とうさんさい》（鉛釉《えんゆう》を施した鮮やかな陶器。副葬品として制作された）に女性がウマに乗ってスティックを振り上げている作品があります。

ポロ競技は、イラン人がウマを操ることで大民族に成長したことの証しでした。「ペルシア」の語源も「パールス」で、「騎馬者」の意味です。イラン人自身がイラン高原南西部の居住地を「パールス」と呼び、それをギリシア人が「ペルシス」と紹介。現在のペルシアになりました。ギリシアの歴史家ヘロドトスも、ペルシア人はもともと勇敢さや正直を美徳とする素朴な騎馬民族だったと述べています。

◉騎馬技術を体系化したスキタイ人もイラン系だった

イラン人は、ユーラシアの歴史の土台をつくり上げた大民族だったといえます。例えば、中央アジアの遊牧民を一大軍事勢力にした**手綱《たづな》**、馬上から射ることが可能な**短弓**、**騎馬軍団**などを最初につくったウクライナのスキタイ人は、イラン系です。

スキタイ人は、遊牧民と騎馬技術、騎馬戦法を結び付け、騎馬軍団による**征服ビジネス**

を中央アジアの大草原の遊牧民に普及させました。征服ビジネスとは、征服した際の戦利品、さらに征服地から税を取ることを意味します。

前6世紀にスキタイ人は南ロシアの大軍事勢力となり、アケメネス朝ペルシアのダレイオス3世が派遣した大軍勢を撃退しています。そこでダレイオス3世は、ギリシア人が黒海周辺から穀物を得るために開発したエーゲ海から黒海に至る海峡ルートから攻めようとしますが、それにギリシア人が抵抗。**ペルシア戦争**（前499—前449）が始まります。

図6　ウマの歯並び

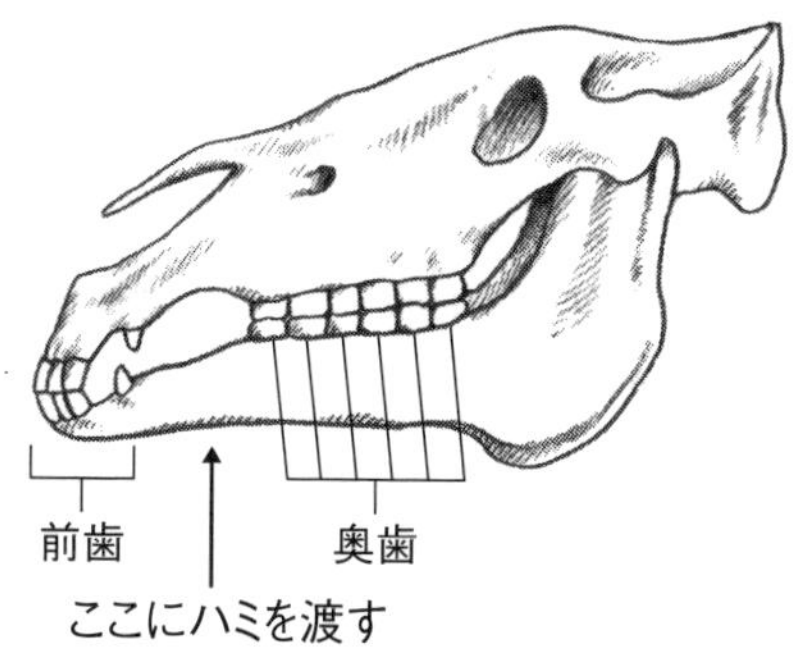

話を戻しましょう。ウマを操る道具の中心は、ウマを必要な方向に走らせるための手綱です。前6世紀のこと、スキタイ人はウマの長い口を観察し、前歯と後ろの臼歯の間に隙間があることに気がつきました。

図6のように、草原の硬い草を反芻《はんすう》するウマの歯は、草を切る前歯（切歯）と草をすり潰す奥歯（臼歯《きゅうし》）に分かれていて間に広い隙間があったのですが、スキタイ人は

そこに骨片（のちに金属片、ハミ）を渡し、それに手綱を付けてウマを思いどおりに走らせるようにしたのです。すごい発想だと思いませんか。

その技術が、西のハンガリー草原から東のモンゴル高原、満州平原にまで広まって、遊牧民の歴史を変えたのです。生活と密着した技術には金銭では測れない尊さがあります。ウマを飼うことに慣れ親しんだ人々が、騎馬民族の台頭を用意したわけです。

またウマの蹄《ひづめ》は人間でいうと爪のようなもので、とても傷つきやすく、もともとは藁沓《わらぐつ》をはかせていたのですが、蹄鉄《ていてつ》を打って長距離を走れるようにしたのが、先に述べたパルティアです。

パルティアの騎馬技術は非常にレベルが高く、逃げると見せかけて振り向きざまに矢を射る「パルティアンショット」でローマ人を驚かせ、各地にその凄さが伝えられました。現在では、パルティアンショットという射法の起源もスキタイ人にあるとされています。

◉シルクロードを育てたイラン系のソグド商人

ユーラシアの砂漠地帯を東西に結ぶ大商業路「シルクロード」を拓《ひら》いたのもイラン系のソグド人でした。

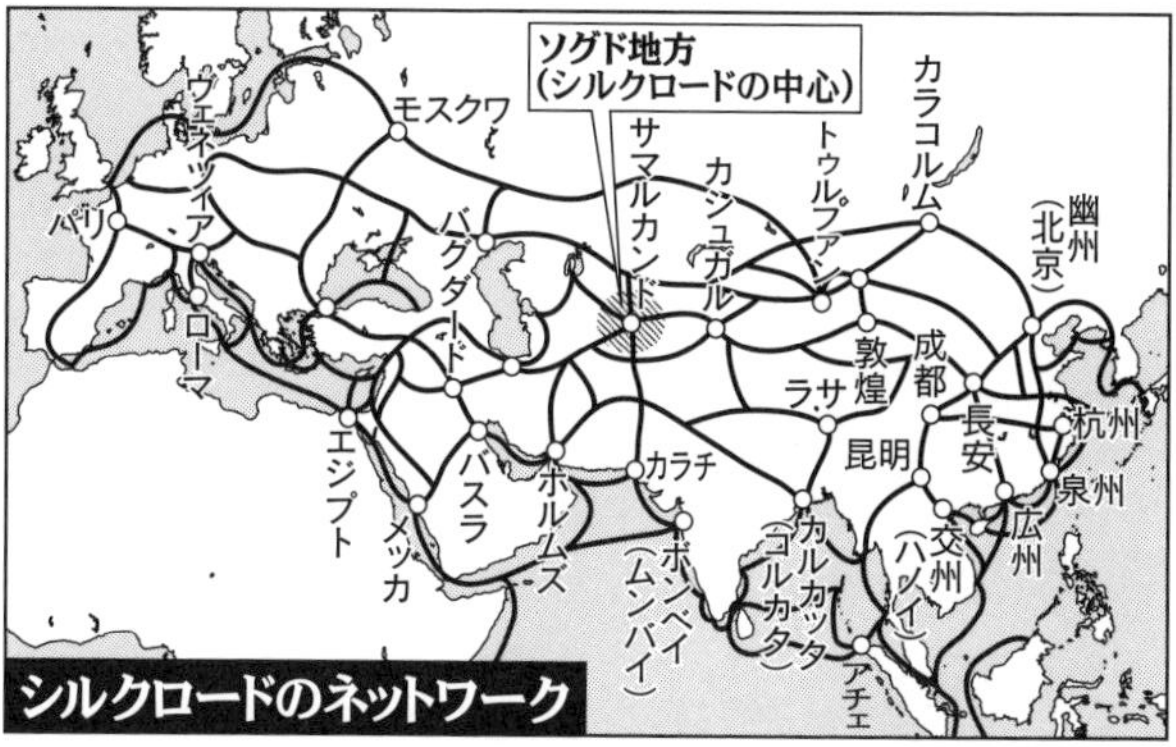

シルクロードのネットワーク

ＮＨＫがシリーズで放映した力作『シルクロードを行く』で、中央アジアの砂漠地帯がロマンチックな世界に大変身させられ、私たちの世界が一挙に広がりました。現在の中国が覇権政策の要に据えている「一帯一路」は、シルクロードを下敷きにした覇権構想です。

ところがシルクロードは、中国の都市長安《ちょうあん》から地中海に向かって延びたのではなく、「世界の屋根」といわれるパミール高原の麓の大オアシスのソグド地方（現ウズベク共和国）から、インド、西アジア、東アジア……というように四方に延びた商業路だったのです。

中心のソグド地方は、かつてはアケメネス朝の州の一つであり、ソグド商人もイラン系でした。彼らは地政学上の優位を生かし、何代もかけて世界有数の大商業路をつくり上げたのです。

ソグド人は、アケメネス朝で公用語とされたシリアの商人アラム人の文字であるアラム文字（61頁）のアルファベットを使ってソグド文字を作り、東方の遊牧民に伝えました。トルコ系のウイグル文字、モンゴル系のモンゴル文字などはソグド文字に基づいています。

ソグド人が名うての商人だったことは、唐の長安の人たちがその商売上手に舌を巻き、「ソグド人は、子供にニカワを握らせて一度つかんだ金は離さないように教え、蜜をなめさせて甘言を操ることを教えている」と噂したと伝わっていることからわかります。

考えてみると**アケメネス朝は、このソグド人、シリアの砂漠の商人アラム人、地中海のレバノンの商人フェニキア人などを巧みに使い分けた商業帝国**でもあったのです。

◉「最後の審判」のネタ元は、ペルシア帝国の国教にある

アケメネス朝は、ゾロアスター（ニーチェの『ツァラトゥストラかく語りき』の主人公）が創始した草原の宗教ゾロアスター教を国教として、帝国の統治に利用しました。ゾロアスター教は、昼と夜が無限に繰り返される草原で生まれた二元論で、昼（光明）と夜（暗黒）、善と悪、天使と悪魔の争いで全てを説明しました。

光明神アフラ・マズダをいただく善神とそれに列する天使と人間、暗黒神アーリマンを

いただく悪神とそれに列する悪魔と人間の壮烈な争いが続き、それによって昼と夜が交替し、幸と不幸が繰り返すとされたのです。

そして、最終的には決着がついて光明の世となり、アフラ・マズダによる裁き（「最後の審判」）が行なわれると説かれました。夜がなくなって昼ばっかりなんて、うんざりだと思うかもしれませんが、テントに住んで草原で脅《おび》えながら夜を過ごしていた人たちからすると、夢のような出来事なのかもしれません。

「最後の審判」の思想はユダヤ教に取り入れられ、キリスト教、イスラーム教に引き継がれて現在の世界にも大きな影響を与えています。

例えば、社会主義思想でも、最終段階では階級闘争がなくなり、人間が能力に応じて働き、必要な物は何でも手にすることができる世の中が来ると述べますが、それは最後の審判を経て「地上に神の国が建てられる」とするキリスト教の思想の延長線上にあります。

ローマのヴァチカンのシスティーナ礼拝堂の祭壇には、ミケランジェロの壮大な『最後の審判』のフレスコ画がありますが、キリスト教徒もイスラーム教徒も、裁きの日が来ることを確信して自己を律したのです。

イスラーム教の創始者ムハンマドは、最後の審判の時が近づいていると説き、自分は最後のカリスマ（預言者、神の言葉を話す能力のある者）であると説きました。「自分のあとに神の言葉を話すカリスマは現れない」とムハンマドが説いたために、『コーラン』が神の意志を集めた経典とされ、激変する世界が『コーラン』によって解釈されることになりました。

イスラーム世界が、「利子を取ることを認めない」「飲酒を認めない」などの戒律を守り、資本主義社会に対応できずに硬直化していくのは、そのためです。

◉東大寺の「お水取り」は地下水路でイランとつながる？

イラン人は、乾燥地帯の農業にも大きく貢献しました。それが２０００年以上前にイラン高原で開発され、北アフリカから東アジアまでの乾燥地帯に広く普及した地下水路の**カレーズ**（ペルシア語。現在ではアラビア語で「カナート」と呼ぶのが一般的）です。

酷暑の砂漠地帯では、水がどんどん蒸発して地上に設ける水路では水が涸《か》れてしまうため、飲料水や農業用水を地下水路で送る必要がありました。年間の降水量が１６００ミリもある日本では、考えられないことです。

その地下水路を簡単に造る技法がカレーズで、20メートルから30メートルおきに竪穴《たてあな》を掘って土を掘り出し、互いの坑《こう》の底をトンネルでつないで、山麓などに湧き出す地下水を数十キロ先まで引いてくる方法であり、乾燥地帯を畑に変えるのに役立ちました。

実は、この**カレーズの発想が古代の奈良の都に持ち込まれた**のではないかという説があります。ペルシアと日本とは遠いようですが、正倉院には遣唐使の一団が持ち帰った水差し、皿、楽器などペルシア風の用具が保存されていますね。7世紀中頃には、ササン朝がイスラーム軍団に滅ぼされて多くのイラン人が唐の長安に移住していましたから、その文化が遣唐使により奈良の都にまで及んだというわけです。

先に述べたカレーズの発想の影響を強く受けたのではないかと思われている行事が、東大寺二月堂で行なわれる修二会《しゅにえ》の中の儀式「お水取り」です。修二会の名は、2月1日から行なわれた行事だったため「2月に修する法会」の意味で呼ばれるようになったもの。現在では3月1日から2週間にわたって行なわれており、関西では「お水取り」が終わると冬が明けるといわれています。

では「お水取り」とは何か。具体的に説明すると、真夜中の1時に5人の練行《れんぎょう》僧とお供が松明《たいまつ》を掲げてお堂を下り、「若狭井《わかさい》」という井戸から「香水」を汲み取り、本尊の十一面観音に捧げるというものです。

ここで面白いのは、「若狭井」という井戸の名前です。かつて、東大寺の荘園が若狭（現福井県）の遠敷《おにゅう》にあり、その水が地下道を通って二月堂の下の二つの穴から湧き出していると考えられて、「若狭井」と呼ばれたのです。しかし若狭から東大寺は90キロも離れています。

そこで出てきたのが、イランのカレーズの発想が取り込まれているのではないかという推論です。古代イラン語に精通する言語学者の伊藤義教《ぎきょう》氏（１９０９—９６）の説で、この行事はゾロアスター教を媒介とする、カレーズで水を送る発想に基づいているのではないかというのです。

「お水取り」の行事の歴史は古く、７５２年に実忠《じっちゅう》（来歴不祥。東大寺の開基の良弁《ろうべん》の弟子）により始められたと伝えられています。その年は、疫病の大流行を鎮《しず》めるために、東大寺に創建された盧舎那仏《るしゃなぶつ》（大仏）の開眼供養が行なわれた年です。この儀式は多くの外国人が招かれた、古代日本最大のイベントでした。

開眼の導師は、南インドのバラモン僧の菩提僊那《ぼだいせんな》。「華厳経《けごんぎょう》」の読経の中、２００メートルの太縄で作った巨大な筆で大仏に目が加えられたといわれています。

その際にインド人の菩提僊那と共に招かれたのが、イラン人の李密翳《りみつえい》でした。この人がどんな人だったのかについては諸説がありますが、ペルシアの工芸技術を伝えた工匠とする説があります。

「お水取り」を始めた実忠について、伊藤氏は、その名は、古代イラン語の「ジュド（異なる）」と「チフル（種族）」を組み合わせた言葉で「異邦人」の意味であり、イラン人を指すのではないかと推測し、「お水取り」には火を重んじるゾロアスター教の教義、儀式の発想が組み込まれていたのではないかと推測されたのです。そうだとすると、イラン文明の影響は、古代の日本列島にまで及んでいたことになります。

◉イラン人は、なぜアラブ人に覇権を奪われたのか

ササン朝ではゾロアスター教が国教とされ、王が神の代理人として独裁政治を行ないました。王は天井から吊るされた重い王冠を被り、人々は膝で歩いて王の下に赴き、息がかからないようにマスクをして話をしたとされます。

そうしたササン朝の頑迷《がんめい》性と保守性を示しているのが、ゾロアスター教をもとにしながら仏教、キリスト教を融合してマニが創始したマニ教の弾圧事件です。マニは逮捕され、殺害されました（２７６頃）。

商人は圧政を嫌いますから、その後、ササン朝の商業帝国としての色彩が弱まって東西商業は停滞《ていたい》し、軍事独裁が強まりました。当然、諸民族の不満が募ります。そうした背景の下で、神アッラーの前に諸民族が平等であると説くイスラーム勢力が台頭したのです。

６４２年、ササン朝はニハーヴァンドの戦いに敗れて滅びます。ササン朝の滅亡後、西アジアではイスラーム化が一気に進みました。**古代から中世への転換**です。しかし、誇り高いイラン人はアラビア文字を使わず、ペルシア文字、ペルシア暦を使い続けています。ペルシアの文学、美術、工芸は繊細（ペルシア絨毯《じゅうたん》の緻密《ちみつ》かつ壮麗なこと！）なのですが、いざとなったら他には従わない「骨太さ」（頑固さ）が、イラン民族の身上なのかもしれません。

彼らは一貫してイスラーム教の反主流派であるシーア派の信仰を守り、１９７９年の**イラン革命**（ホメイニ革命）後にはイスラーム教の原点に回帰するという復古的なナショナリズムを掲げ、欧米諸国が主導する世界秩序へ反旗を翻《ひるがえ》し続けています。世界の基盤をつくったイラン人から見れば、19世紀以降に大きくなったヨーロッパもアメリカも、若輩者《じゃくはいもの》にすぎないのかもしれません。

❷ラテン人――ローマ帝国を築き、ヨーロッパ世界の土台になった

◉地中海は、商業民フェニキア人の海だった

世界史では、それぞれの時代の有力な民族の主張が歴史を左右し、客観的な歴史認識を妨《さまた》げている場合がよくあります。古代史の中でも研究が集中し、詳しく述べられているギリシア史、特にアテネ史などは、その最たる例になるでしょう。

19世紀のヨーロッパ人は、ヨーロッパ文明がヘレニズム（ギリシア文明）とヘブライズム（キリスト教）の複合でできていると考え、ギリシア史を世界史の源流に位置付けました。ヨーロッパの歴史学を集大成したドイツの歴史学者ランケ（１７９５―１８８６）は、「全ての古代史はローマという湖に流れ込み、全ての中世史はローマという湖から流れ出す」と記しました。でも、本当にそうなのでしょうか。

ラテン人が世界で最初の海洋帝国を築いた地中海は、日本海の約２・６倍の広さを持ち、アジア、ヨーロッパ、アフリカの３大陸を結ぶ、とても特殊な海です。

今までに述べてきた「資源地域」と「交通地域」という観念で考えると、地中海はエジ

プトとメソポタミアの「交通地域」に当たります。理由は西アジアと同様に、乾燥して穀物が十分には作れない土地であり、穀物をエジプトなどに依存していたからです。

夏に雨が降らない地中海性の気候は、乾燥が好きなブドウ、オリーブ、イチジクなどの栽培には適していたのですが、ムギは育ちませんでした。どのくらい乾燥していたかを、年間降水量で確かめてみましょう。ちなみに日本の年間降水量は、約１６００ミリです。

アテネ…約４００ミリ／アレクサンドリア…約３４０ミリ
カルタゴ…約４７０ミリ／ローマ…約８７０ミリ

おまけに地中海の南には、地中海よりもはるかに広い砂の海（サハラ砂漠。アフリカ面積の3分の1でアメリカ合衆国とほぼ同面積）があります。夏の地中海はひたすら暑いので、スペインなどでは3時間程度の昼寝（シエスタ）の習慣ができ上がったほどです。

地中海沿岸は、エジプト、メソポタミアの農業地域に経済的に従属せざるを得ませんでした。それなのに、それらの地域を「オリエント」として切り離し、「歴史はギリシアから始まる」などと強弁することは、とても実態に合わないことです。

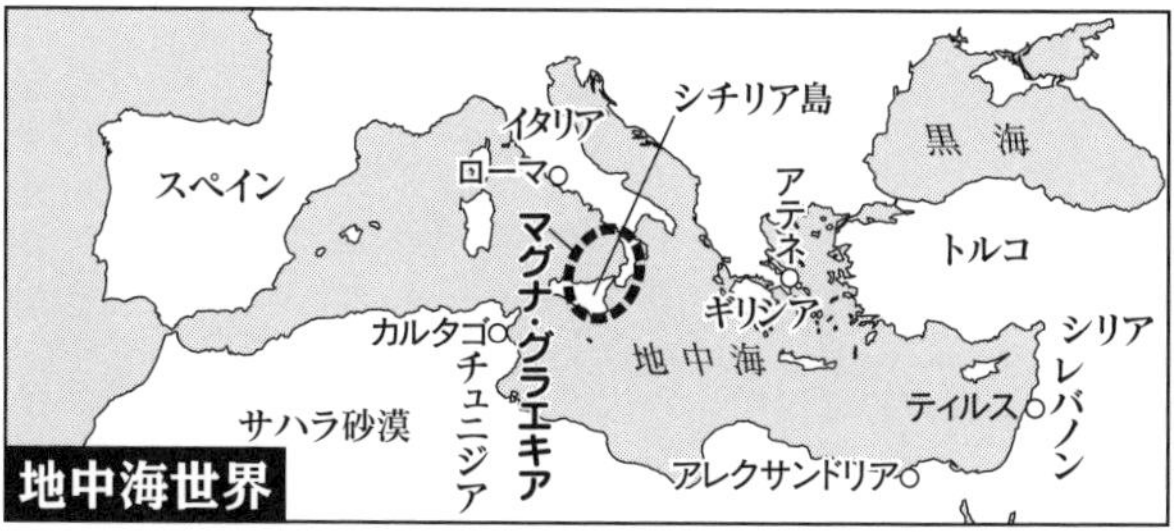

地中海世界

地図を見るとわかるのですが、イタリア半島—シチリア島—北アフリカのチュニジアの線で、地中海はよく開けた東地中海と未開の西地中海に分かれました。最初は、東地中海と西アジアは同一の世界だったのです。

海の商業民として東地中海の商業を制したのが、「レバノン杉」という巨木を産出するレバノン地方のフェニキア人でした。乾燥地帯では巨木が育たないので、エジプトでもメソポタミアでも大神殿・大宮殿の梁《はり》にはレバノン杉が使われたのです。

先に述べたイラン人のアケメネス朝も、フェニキア人を使って東地中海の商業を支配しましたから、フェニキア人は、「古代の総合商社」と言ってもいいような広汎な貿易を展開していたことがわかります。地中海の中央部の島々をつなぐ、地中海横断航路を開発したのもフェニキア人です。

やがてフェニキア人は、西地中海の出入り口にあたるシチリア海峡に目を付けます。東西に二分された地中海を結ぶ海峡にはメッシーナ海峡（イタリア半島とシチリア島）とシチリア海峡（シチリア島とチュニジア）があったのですが、前者は潮の流れが速くて当時の船では通過できず、シチリア海峡が唯一の航路だったのです。

そこでフェニキア人は、海峡を支配するための植民市カルタゴを建設して他の商人の船を通過させず、西地中海を独占支配しました。つまり地中海は、ペルシア帝国（アケメネス朝）に従属する商業民フェニキア人の覇権の下にあったわけです。

◉ギリシア人はいかにして商業覇権を奪取したか

フェニキア人の商業覇権に挑戦したのが、エーゲ海の島々とその周辺を拠点とする新興のギリシア商人でした。商人は軍事的には非力ですから、のし上がっていくには軍事勢力との結託が必要であり、それにはツキに恵まれることが必要でした。

ギリシア商人の台頭を後押しする出来事が、

①マケドニアのアレクサンドロス３世による、ペルシア帝国の征服（前３３０）
②イタリア中部のラテン人の都市国家ローマによる、イタリア半島の統一（前２７２）

だったのです。そうした政治状況の巧みな利用が、ギリシア商人に地中海での商業覇権をもたらしました。

アレクサンドロスの東方遠征の軍隊はレバノンを通過する際に、フェニキア人の拠点港ティルスを徹底的に破壊し、さらに前３３２年には「資源地域」（穀倉地帯）のエジプト三角州に、ギリシア商人の拠点都市アレクサンドリアを建設します。アレクサンドリアは「（世界中のものは全てあり）ないものは雪だけ」といわれるような発展を遂げました。

そうした中で、西地中海の入り口のカルタゴがフェニキア人の最後の拠点として残りましたが、ギリシア商人は、イタリア半島を統一した中部ラティウム地方の軍事都市ローマを利用してカルタゴを倒します。本来、**ラティウム地方の住民がラテン人**ですから、ローカルな勢力でした。

ラテン人と同盟を結んだギリシア人も、当時としてみれば「辺境」に位置する南イタリアとシチリア島に「マグナ・グラエキア（大ギリシア）」という多くの植民市を建設した、ローカルなギリシア人でした。

したがって、ラテン人が用いた「ギリシア人」という呼び名も「グラエキアという地方に住む人たち」の意味になります。本土のギリシア人は、英雄ヘレンの子孫という意味で

「ヘレネス」と自称していました。

最初はシチリア島の地域紛争から始まった**ポエニ戦争**（ポエニは「フェニキア人」の意味。前２６４―前１４６）が、３次にわたり１００年以上続く大戦争になり、その中でギリシア人の商業覇権とラテン人の政治覇権が実現されていきます。

前１４６年、ローマはカルタゴを焼き払い、生き残った5万人の男女を残らず奴隷にして、西地中海の支配権を獲得。前30年にはエジプトのアレクサンドリアを占領して、地中海の支配を完結させました。

こうして、**イタリア半島のローカルな軍事勢力にすぎなかったラテン人が、ギリシア商人をパートナーとして「乾燥の海」地中海の覇権を握ります。**征服戦争を積み上げて帝国を建設したローマにはしっかりとした官僚制度がなく、徴税、神殿建設、土木事業などの経済活動はギリシア人が請け負いました。前1世紀のローマの詩人ホラティウスは「ローマはギリシアを征服したが、文化的にはギリシアに征服された」と述べています。

●私的軍事集団の征服によってローマ帝国が形成された

ローマは、市民の**重装歩兵**が軍の中心でしたから、部族が結合して征服戦争を行なう遊牧民とは違ったかたちで軍事大国に成り上がっていきました。

カエサルが典型になりますが、元老院という有力な部族のボスたちが支配する政治組織と対抗するかたちで、野心的な有力者が私財を投じて私兵の軍団を組織。征服戦争で私領を拡大することで財を蓄え、派閥同士が争い合いながらのし上がっていきました。カエサルは自らが征服したガリアの部族長を元老院議員に送り込み、勢力を固めています。

ローマは他民族に対しては比較的寛大で、敗者にもローマの市民権を与え、敗者の神も認めて、主だった神の神殿も建設しました。支配が過酷になるか寛大になるかは支配者の思惑で決まったのですが、もともとラテン人は数も少なく弱小でしたから、被征服民のローマ化を積極的に行なわざるを得ませんでした。**同化と混血が、ラテン人を大民族に変えた**のです。

被征服民の神も共に祭ったため、ローマの神々の数は30万にも達したといわれます。キリスト教、ペルシアのミトラ教、ユダヤ教などが流行ったのも、そのためです。

有力者になって元老院を脅《おびや》かすほどの勢力を持ったカエサルは独裁者として暗殺されましたが、その一派から出た**オクタビアヌス**が政争に勝利。元老院から「アウグストゥス（ラテン語で「威厳者、尊厳者」の意味）」の称号を与えられます。「並はずれた支配者」という意味です。

オクタビアヌスは、あくまでも**インペラトル**（「元老院から命令権を与えられた公職者」の意味。軍指令官）、**プリンキパトゥス**（元老院の筆頭議員）として、元老院から支配を委託《いたく》されるというかたちをとったのです。

ですからローマ帝国は、元老院の命令権が及ぶ地域であり、帝国の拡大はローマ軍の軍事統制が及ぶ地域の拡大を意味しており、帝国の領域がはっきり決まっていたわけではありませんでした。

多神教信仰のローマでは、皇帝、将軍は死後に神格化されて信仰されました。ですから最大の私兵集団を組織したカエサルも神になりました。歴代、皇帝になったのがカエサルの党派でしたから「カエサル」は皇帝の称号の一部に組み込まれていきます。

ローマ帝国が滅亡したのちも、新興諸国家の支配者がローマ皇帝の権威を利用しようとして「カエサル」を名乗りました。ドイツの神聖ローマ帝国の皇帝の称号「カイザー」、ロシアの皇帝の称号「ツァー」「ツァール」などです。

教科書などではローマ帝国のイメージが相当に膨らんでいるのですが、実際にはローマ帝国は、ラテン人の私的集団（流動的な派閥、部族など）の結合により成り立っており、帝国の拡大も、帝国の継承もモヤモヤとしたものだったのです。

◉ローマで「市民権」が発達したわけ

「辺境」のローマでは庶民の活躍が目立ちました。有力部族が主要ポストを独占した西アジアなどの帝国とは、対照的です。

　ローマでは法律により元老院の権限が制限され、法律により庶民の成り上がりが保護されました。**人間の実情に合わせて、人間が自ら法律を作るという流儀が、ラテン人の社会に定着していった**のです。それは、近代以後のヨーロッパにつながる発想です。

　ローマの法律の出発点になったのが、前４５０年頃に制定された**十二表法**でした。それまでの前例、慣行に基づく法が曖昧《あいまい》であり、貴族が勝手に法律を解釈していましたから、平民の要求で文章化されたのです。

　十二表法は12枚の板（銅板ともいわれる）に書かれて公示され、紛争が生じると、それに基づく解決が図られましたが、社会変化と共に次々と改定されました。改定された部分は自動的に消滅していきましたから、２００年経つと条文の3分の2が新しくなったといわれます。

子供たちには、自分の権利を守るために条文の暗記が求められました。法律が、自分を守る手段になっていたわけです。有力部族が提携して権力を独占しているタテ型社会では、今でも庶民を守るための法律が空文化していますね。

「たとえ世界中から大声で反論されようとも、法の起源、拠《よ》り所の基礎は十二表法だ」

前1世紀に活躍した雄弁家のキケロは、このように述べています。ラテン人は、有力者のコネ支配を跳ね返し、前例・慣行のカベを法律により打ち破ったわけです。そうした**力強い庶民のエネルギーがラテン民族の勃興のエネルギーになった**ことは、言うまでもないでしょう。

同じ古代の地中海都市でもアテネは血統を重視する閉鎖社会で、両親がアテネ人の子供だけに市民権を与えたのに対し、ローマは「ローマのために貢献する志《こころざし》」（血縁ではなく共同体への貢献の意志）が市民権を与える基準になり、敗者にも気前よく市民権を与えました。

異質な人々が加わると法の改定が必要になりますが、それがローカルな弱小民族の国を普遍的な帝国に脱皮させる契機になったのです。

しかし、異民族の征服と徴税に依存するローマは、属州（植民地）からの巨大な徴税のシステムによって成り立っており、その面では他民族に対して過酷でした。アジア総督を

図7　十二表法の内容（抜粋）

※法の内容は多岐にわたっており、分類すると、民事訴訟、債務、家族、相続、財産、不動産、葬儀、結婚、不法行為、犯罪などに関する法や規則が定められている。

第1表

- 裁判に出頭を求められた者は出頭しなくてはならない。彼が出頭しない場合、彼を訴えた者は証人を呼ばなければならない。（以下略）

第3表

- 債務を認めた者または返済するようにという判決を受けた者は、30日以内に支払わなければならない。（以下略）

第5表

- 相続人のいない人が遺言なく死去した場合、父方の親族の中で最も血縁の近い者が相続すること。（以下略）

第7表

- 道を作り、それが荒れてしまった場合、通行人はそこで自由に家畜を放すことができる。（以下略）

第8表

- 他人に対して障害が残るような怪我を負わせ、その人と和解していない場合、怪我を負わせた人に対する同じ程度の復讐が許される。（以下略）

第10表

- 市内で死体を焼いたり、埋葬したりしてはいけない。（以下略）

第12表

- 奴隷が盗みや他人に損害を与える行為に関与し、それを主人が関知していた場合でも、主人は奴隷の行為に対する復讐からは免れることとする。（以下略）

務めたことのある帝政初期の歴史家タキトゥス（『ゲルマニア』『年代記』の著者）は、「ローマは廃墟をつくって、そこを平和と呼ぶ」とまで述べています。

◉ラテン人はこうして大民族になった

ローマ帝国は、「乾燥の海」地中海での穀物生産が難しく、食糧の４割をエジプトに依存する状態が続きました。しかし、ローマ市民の生活を地中海周辺の属州からの収奪だけで支えることは難しく、**カラカラ帝**は２１２年、属州を含めて帝国の全ての自由民に市民権を与えました。

一説によると、カラカラ帝の狙いは、全土からの相続税の徴収にあった（自由民でない者は相続税を支払う義務がなかった）とされますが、それまでの**ローマという都市国家が膨張した状態を、世界帝国に組み替えた**意義は大です。地中海の周辺各地に５６７２ものローマ規格の都市がつくられ、地中海世界のローマ化が進みました。

市民権を与えることで、地中海周辺の諸民族をローマ化しただけではなく、ラテン人自身もポエニ戦争に勝利する過程でイベリア半島へ、カエサルのガリア（現在のフランス）征服以後はヨーロッパ各地に移住します。しかし、ラテン人だけではとても人数が足りないので、ガリア人（ガリア地域に居住したケルト人）も兵として登用し、能力や功績に応じて抜擢《ばってき》。元老院議員にもしました。ケルト人を通じ、ラテン人はヨーロッパ化できたのです。

ローマはヨーロッパを支配するために、平坦で直線的な軍道を熱心に築きました。重い攻城兵器や大量の軍の食糧を運ぶために上り下りを極力避け、川には橋を架け、山を削るなどの大土木工事が行なわれ、約15キロおきに道路と宿駅を守る軍隊が配置されました。ヨーロッパの主要都市であるロンドン、パリ、ウィーンなどは、いずれもローマの軍営都市から発達した都市です。

フランスの詩人ラ・フォンテーヌの「全ての道はローマに通ず」という言葉がありますが、ローマ帝国の辺境のヨーロッパから見れば、そのように見えたのです。ローマ帝国は西ヨーロッパの先住民ケルト人を取り込んでラテン人を増殖させ、イタリア、フランス、ポルトガル、スペイン、ルーマニアの地をラテン民族の世界に変えました。

◉3民族が棲み分けるヨーロッパ

大雑把に見るとヨーロッパは、**ラテン人、4世紀以降侵入したゲルマン人、東部のスラブ人が棲《す》み分けている世界**です。

ローマ帝国の公用語のラテン語が、ヨーロッパ共通の古典語になりました。本拠地のイタリア半島、ローマ帝国の時代に多くのローマ人が移住したイベリア半島、ガリアがラテン人の居住地です。

それに対して、ロシア、ポーランド、チェコ、バルカン半島などに居住してスラブ語を話すのがスラブ人で、西ロシアからポーランド、ベラルーシなどを経て東ヨーロッパ全域に広がったと考えられています。

「スラブ」とは「言葉」の意味で、古代にギリシア人がバルカン半島の北でスラブ人と接したときに、どんな言葉を話すかという問いに「スラブ（言葉）」と答えたことから、その呼び名が生まれたとされています。ロシア語のslovoは、「言葉」の意味です。

力が弱く見た目が美しいスラブ人は、ビザンツ帝国、イスラーム帝国、ヨーロッパ諸国の「奴隷」として盛んに売買されました。

そこで英語のslaveのように「奴隷」の意味が派生してきます。スラブ人にはビザンツ帝国の影響が強く、キリル兄弟の布教の結果、ギリシア文字を変形させたキリル文字とギリシア正教を共有することになりました。ただ例外的に、ポーランドのようなカトリックの国もあります。

ゲルマン人は東方からヨーロッパに移住し、中部ヨーロッパから北ヨーロッパに移住しました。寒冷な地域に居住するゲルマン人は、穀物生産が不調で困難な生活を強《し》いられましたが、部族同士の抗争があまり起こらなかったためにゲルマン世界（神聖ローマ帝国。962―1806）の支配は安定し、長期にわたりラテン人のローマ教皇、ゲルマン人の神聖ローマ帝国の共同統治の体制が続きました。

◉大航海時代以降も広がったラテン人の世界

16世紀、大航海時代に入ると、ラテン系のスペイン人、ポルトガル人の新大陸進出と先住民インディオとの混血が進みました。スペイン人は「スパニッシュ」ですが、スペイン移民の子孫は「ヒスパニッシュ」と呼ばれます。

アメリカ大陸では最初、イベリア半島を意味するラテン語の「ヒスパニクス」と呼ばれましたが、「イベリア半島の出身者」という意味から呼び名が「ヒスパニッシュ」（英語ではヒスパニック）に変わりました。ローマ帝国の時代にヨーロッパに広がったラテン人の世界は、大西洋を越えて中南米にまで広がったのです。

かつて中南米は「ヒスパノ・アメリカ」と呼ばれていましたが、19世紀にメキシコ出兵で中南米への進出を目指したナポレオン３世が、フランス人も含まれる「ラテン・アメリカ」と呼び名を改めさせ（もちろん、支配を正当化するためです）、ブラジルにポルトガル人が進出したこともあって、現在はその名称が一般化されています。

今はアメリカ大陸に移住したヨーロッパ人の子孫を、全体として「ラティーノ」（「ラテン・アメリカのスペイン語圏の人」）と呼ぶようになっており、「ヒスパニック」と呼ばれているのは、スペイン語を日常語とするラテン・アメリカ系の住民です。

アメリカ大陸の先住民はインディオと総称されますが、ウマと鉄砲を持つスペインのコンキスタドール（征服者）により征服され、同時に彼らが持ち込んだ天然痘《てんねんとう》がパンデミックを起こし、１世紀間に約８割もの住民が死亡しました。その結果、アメリカ大陸におけるラテン人の比重が相対的に高まります。

またブラジル、カリブ海における砂糖プランテーション、カリブ海、アメリカ南部の綿花プランテーションが広がることで、アフリカ西岸からの奴隷貿易が盛んになり、黒人の居住が激増しました。ヨーロッパ人や黒人は天然痘に対する抗体を持っていたためです。

❸アラブ人――イスラーム世界と大商業圏をつくり上げる

◉メッカに落ちてきた黒い隕石

砂漠が連なるアラビア半島は、夏には気温が50度を超え、冬には0度以下になるという世界でも有数の生活困難な場所でしたが、エジプト、メソポタミアの2大穀倉地帯に挟まれ、遊牧民と商業民が生活していました。

ユダヤ人と同じセム系のアラブ人は、２００人程度の部族に分かれて生活する遊牧民で、それぞれの部族が異なる偶像を部族神として信仰するというバラバラな状態にありました。そうしたアラブ人をゆるやかに結束させたのが、メッカ付近に火を噴きながら落下してきた直径30センチの黒い隕石《いんせき》でした。メッカのアラブ人は、その黒い隕石に「ズハル」という名前を与えてご神体とし、これを祭る祠《ほこら》（のちのカーバ神殿）を建てます。

付近の遊牧部族は「ズハル」を敬い、それぞれの部族神を神殿に祭りました。カーバ神の祭りの際には、アラビア半島の諸部族が集まって「市」ができました。メッカを中心とする、ゆるやかなアラブ人の結び付きができたのです。

「夏山のメッカ」「プロ野球のメッカ○○球場」など、人出で賑わう場所をメッカと呼びますが、それらはメッカでの祭りの賑わいが語源になっています。

そうしたメッカの神殿を管理するクライシュ族から、唯一神の信仰を説くムハンマドが出てくることになります。

◉2大帝国の衝突がムハンマドを生んだ

アラブ人にチャンスを与えたのが、長い間続いてきたビザンツ帝国（ギリシア人）とササン朝（イラン人）の大戦争でした。今も昔もそうなのですが、**支配者は「内」がうまくいかなくなると、「外」に問題（紛争、戦争など）を起こす**ものです。これで危機がさらに拡大し、大抵の場合はそれが原因になって、社会はどうしようもなく衰退していきます。

体制が崩れていくときには、一気に積年の問題が表面化し、連鎖反応を引き起こしていくもの。ビザンツ帝国にとっては、波状的に起こるペストの流行も大きな痛手になりました。しかし反対に、**体制の揺らぎは弱小民族にはのし上がるチャンス**を与えます。

アラブ人にとっては2大帝国の衝突がプラスに働きました。商人が係争地《けいそうち》を避けて、安全なアラビア半島にバイパスを作り、地中海とアラビア半島とペルシア湾を結んだからです。アラビア半島が国際貿易の場になり、アラブ商人にとっては千載一遇《せんざいいちぐう》の好機が訪れました。そうしたチャンスを生かして財をなした商人の1人が、ムハンマドだったのです。

ムハンマドは子供のときに両親を亡くし苦労して育ちますが、いわゆる「逆玉」で金持ちの未亡人と結婚し、裕福な商人になります。彼はたびたび、当時の商業の大中心地であるシリアのダマスクスに商売に出向き、大儲けをしました。そこで彼は、ユダヤ教という一神教に接して強い影響を受けます。

ムハンマドは、40歳になって商売から引退。当時のアラビア半島では「人生40年」と考えられていました。砂漠をラクダで旅するのは骨が折れますから、ムハンマドも現役を退いて、今でいうところの「終活」を考えたのでしょう。メッカの郊外にあるヒラー山の洞窟で瞑想《めいそう》の生活を送るようになったのです。

◉ムハンマドは「終活」でアラブ人を民族に変えた！

ところが瞑想を続ける中で、今の貧富の格差が拡大している状況は「最後の審判」に近づいていることの証しではないか、自分にできることがあるのではないかと考えて、ムハンマドは第二の人生に目覚めます。

ある日、ムハンマドは瞑想中に大天使ガブリエルのお告げを受けたと感じます。そして、自分は「最後の審判」の前に神が遣わした最後のカリスマ（ユダヤ教で神の意志を告げる能力を持つ者）に違いないと信じて、メッカでイスラーム教（絶対神アッラーへの全面的な帰依《きえ》を説く）を立ち上げました。まさに「人生は退職後に輝く」です。

ムハンマドは、それまでアラビア半島にはなかった、一神教による世直しを目指しました。一個人の「終活」が社会性を帯《お》び、世界史を大幅に変える活動に変わったのです。

当時は、落ち目のビザンツ帝国とササン朝が長期の戦争を続け、波状的なペストの流行が人々を苦しめており、貧富の拡大も深刻でした。そこにムハンマドは、世の終末を感じ取り、信仰による人間の「きずな」の回復が必要だと説いたのです。

しかしメッカは、先に述べたようにアラビア半島の多神教信仰の中心であり、カーバ神殿により栄える都市でしたから、10年間布教して200人程度の信者を獲得するのがやっとでした。それどころか、次第に迫害を受けるようになっていきます。

そこでムハンマドはメッカでの布教をあきらめ、ユダヤ人が多い北の新興オアシスのヤスリブ（のちに「預言者の町」の意味でメッカと呼ばれる）に布教の中心を移しました。

ムハンマドは、そこで教団を組織。自宅の庭をモスク（教団の多目的スペース）とし教団の拡大を目指しました。特にユダヤ人を取り込もうとするのですが、それには失敗してしまいます。10年間の布教で獲得できた信者は、２００人程度にすぎませんでした。

しかし、社会規模が極端に小さいアラビア半島では、約４００人の教団は一大集団でした。２００人程度の遊牧部族の争いが絶えない状況で、教団の遊牧民に対する軍事的な影響力は大きくなり、ムハンマドは「調停者」「顔役」として影響力を強めました。

６３０年、遊牧民を結束させたムハンマドはメッカを無血占領。イスラーム教団の影響がアラビア半島に及ぶようになりました。

しかし、その2年後にムハンマド自身が急死してしまいます。遊牧民が離反するなどで、教団に分裂の危機が迫りました。イスラーム教の下にアラブ人が結束する前に、ムハンマドの死による教団の危機が訪れたのです。この段階では、イスラーム教はアラビア半島のローカルな宗教にすぎませんでした。

◉「征服ビジネス」の旨味を求め、アラブ民族は集団移住した

分裂の危機に直面した教団は、ムハンマドが「私は神の言葉を告げることのできる『最後の預言者』だ」と称していたことから、次の三つを決定します。

①教団の指導者カリフ（使徒ムハンマドの代理人）による指導
②神の言葉を集めた『コーラン』の編纂
③離反しようとする遊牧民をつなぎとめるための大経済都市ダマスクスへの遠征

この中で**アラブ人が民族に目覚め、世界史を変える契機になったのが、③大経済都市ダマスクスに対する「ジハード（聖戦）」という名目の征服戦争**でした。宗教の名の下に組織された、世俗的戦争だったのです。

とはいえ、相手は巨大なビザンツ帝国です。簡単にはいかないはずが、思いのほかビザンツ帝国は病んでおり、あっさりと虎の子のダマスクスは陥落。アラブ遊牧民はそれまで見たこともないような莫大な戦利品を山分けしたばかりでなく、大経済都市を支配下に置くことになりました。戦利品の5分の1は教団が取りましたが、あとは遠征に参加した部族が分け合ったのです。

この遠征の成功が、アラブ遊牧民に「征服ビジネス」の旨味《うまみ》を実感させ、部族の結合を促しました。アラブ遊牧民は教団と提携して次々と征服戦争を組織。それに対して、ラッキーなことに、衰亡期に入っていたビザンツ帝国とササン朝は対抗する力を持たず、長期間持続してきた体制が崩れ去っていきました。それが、世界史を大転換させたアラブ人の**大征服運動**の真相です。

ここが重要なのですが、その間に、１３０万人ものアラブ人がアラビア半島からエジプト、シリア、メソポタミアなどの富裕な地域に集団移住し、農民などから税を取り立てる地主に転身しました。それだけではなく、ビザンツ帝国は重要な収入源のエジプト、シリアを失い、ササン朝も滅亡して、**西アジアから地中海に至る大領域にイスラーム帝国が成立**したわけです。

大征服運動の中でアラブ人の有力部族は豊かな土地を占拠して成り上がり、お互いの利権を守るために、シリアを支配したウマイヤ家を中心に結束しました。その結果、カリフをウマイヤ部族でタライ回しにする**ウマイヤ朝**（６６１—７５０）というアラブ遊牧民の帝国が成立。互いの既得権を守ります。

また、さらなる利権を求めて、北アフリカからイベリア半島、インダス川流域への遠征が繰り返され、数が少なかったアラブ人は同化と混血で大民族に変身していきました。

しかし、そうした動きが新たな貧富の差を拡大します。アラブ民族は分裂し、カリフの特権を認め、前例・慣行を尊重することにより既得権を守ろうとする**スンナ派**、それと対抗する「アッラーの前の部族の平等」を説いたムハンマドの立場を重視する**シーア派**に分かれました。**格差の拡大が、体制を惰弱化させるのは世界史の法則です。**

シーア派はムハンマド一族の権威に依存せざるを得ず、ムハンマドの甥アリーを押し立ててウマイヤ家の独裁に対抗しますが、アリーも2人の息子も殺されて、シーア派の動きは押さえ込まれました。

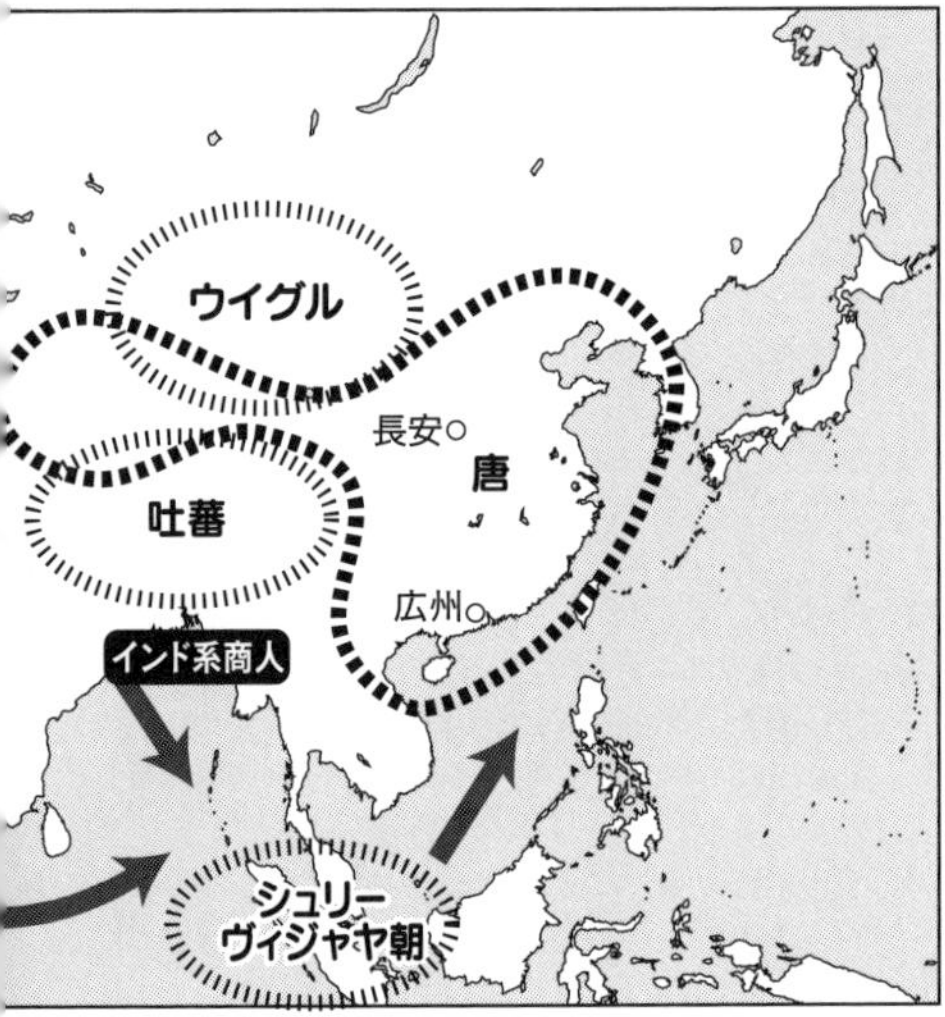

◉大商業帝国アッバース朝の誕生

それでも、イスラーム教の教義に逆行するウマイヤ朝に対する反感は収まりませんでした。貧しいアラブ部族、都市に流れ込んだ流民、イラン人などの被征服民は共同で、貧しいムハンマドの伯父の一族のアッバース家を担ぎ、アラブ遊牧民の独裁政権を倒して**アッ**

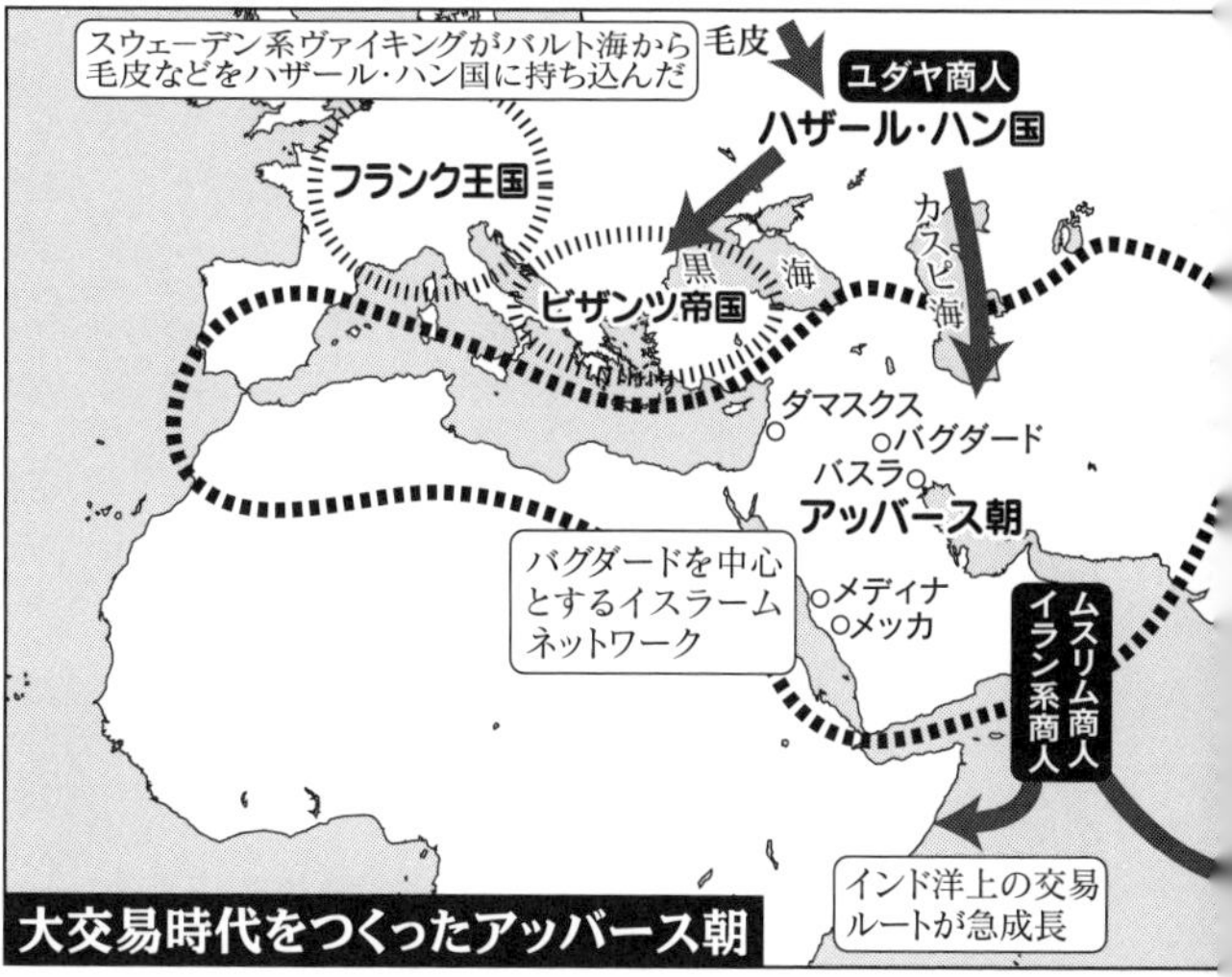

大交易時代をつくったアッバース朝

バース朝（750―1258）を建てます。教団が多民族化、民衆化して、ウマイヤ朝という**軍事帝国から**イスラーム教の教義に基づく**イスラーム帝国へ**の転換を実現したのです。それが、アッバース革命です。

　イラン人の軍事力に頼って樹立されたアッバース朝は、中心を地中海と結び付くシリア地方からイラン高原に近いイラクに移し、イラン人の豪族に対する融和《ゆうわ》を進め、他方で特権的な都市の遊牧民への年金の支払いの停止、非軍事化を進めました。

　イラクには、新しい首都として**バグダード**（ペルシア語で「神の都」の意味。アラビア語では「平安の都」の意味でメディナ・アッサラーム）が建設されます。バグダードは外港のバスラを経てペルシア湾からインド洋につながり、モンスーンを利用してアフリカ東岸からインド、東南アジア、南シナ海の広州《こうしゅう》に至る海の大交易圏を拓《ひら》きました。

インド洋の大商業圏はシルクロード、地中海商業圏とも結び付き、**バグダードはユーラシアの海と陸を結ぶ大商業圏の中心都市**となって人口が１５０万人に達し、産業革命以前の世界最大の都市に成長します。ユーラシアを結ぶ大交易時代の出現です。アラブ民族の国際化が大幅に進みました。

マラッカ海峡を越える南シナ海との交易が盛んになり、唐《とう》の広州には人口12万人のアラブ人、ペルシア人の居留地がつくられてモスクも設けられ、ペルシア湾との間の航路が定期化しました。インド洋と地中海との貿易も盛んになり、コメ、サトウ、綿花、レモン、バナナなどがアジア諸地域からもたらされます。

◉なぜ「砂漠の民」が国際文明をつくれたのか

それにしても、なぜ、アラビア半島の砂漠地帯から出たアラブ民族が、アッバース朝という国際帝国と国際文明を築けたのでしょう。

①「全てはアッラーが作り賜《たも》うたもの」として諸文明を受容
②先進文明が栄えたメソポタミアへの進出
③イスラーム教自体の特性（アッラーの下に諸民族の平等を説く普遍宗教だったこと）
④商業的色彩が強く、バザール（市場）を中心とする都市のネットワークができ上がったこと
⑤アラビア語、イスラーム法、通貨などが広く共用されたこと

　これらが、その理由と考えられます。

　海の道とシルクロードが交わるアッバース朝のバグダードには**知恵の館**が設けられ、学者たちがギリシア語、ペルシア語などの文献を組織的にアラビア語に翻訳しました。そうした活動は「大翻訳時代」といわれます。

　例えば、古代ギリシアのアリストテレスの哲学は、アラビア語で保存された文献が、十字軍時代にラテン語に翻訳されてヨーロッパに伝えられました。

　東西文明の中間に位置するアラブ民族の国際文明が、当時はまだローカルだったヨーロッパ文明に大きな影響を及ぼします。それは、アラビア語に由来する英語が多いことから、

理解できます。

例えばリスク（「海図」のない航海の意味）、マガジン（本来は倉庫の意味。いろいろな物が雑多に収められることから「雑誌」を意味するようになる）、チェック（小切手）などは、アラビア語が語源になっています。

また、インド数字が改良されたアラビア数字、十進法、代数学、錬金術と蒸溜器、手形と小切手、逆風でも船が前進できる三角帆、医学なども、ヨーロッパ文明に飛躍をもたらしました。

第二の舞台・前編

インド人、漢人

第四章

大穀倉地帯でハイブリッド化した2大農業民族

「棲み分け」と「混血」で維持された、二つの大農業世界

◉民族同士の争いの最前線だったモンゴル高原と中国

世界史の第二の舞台は、ユーラシアのど真ん中に位置する**中央アジアの大草原（ハンガリー草原からカザフ平原、モンゴル高原、満州平原に至る東西８０００キロの大草原）とその南のシルクロードが通る砂漠地帯が「交通地域」**、そのさらに**南のインド、中国を中心とする大農業地帯を「資源地域」**とする大領域です。

第二の舞台の話は長くなりますので、四章ではまず、「資源地帯」の2大農業民族である**❹インド人と❺漢人（中国人）**を取り上げ、そのあと五章で「交通地域」の3大遊牧民族の話をしたいと思います。

先に述べたように、前6世紀にウクライナ地方のスキタイ人が開発した手綱《たづな》などの馬具、馬の上で射ることのできる短弓が普及したことにより、ユーラシアの大草原の遊牧民は騎馬民族に変わりました。トルコ人、モンゴル人などの騎馬遊牧民は、大草原と中国、インド、西アジアなどの大農業地域、ロシアの森林地帯を多角的に結び付けていきます。

伝統的に、遊牧民は穀物を農業民に頼らなければなりませんから、二つの地域の間には大規模な商業と大きな衝突が繰り返されました。

広大な草原地帯の遊牧地域（交通地域）と農業地域（資源地域）の接点では、世界史規模の興亡がダイナミックに繰り返されましたが、抜きん出て**大きな衝突の場になったのが、モンゴル高原と黄河中流域**でした。

モンゴル高原と黄河中流域の間には自然の障害物がなく、モンゴル高原から簡単に黄河流域に進攻できたためです。中国の王朝は、壮大な万里《ばんり》の長城《ちょうじょう》を築き、何とか騎馬民族の南下を阻止しようとしましたが、それは無理な話でした。穀物を手に入れなければ、遊牧民は生きていけませんから、必死です。

46～47頁、54～55頁の地図で確認するとわかりますが、ユーラシアの大農業地帯は巨大山岳と砂漠により、次の３大地域に分かれます。

①イスラーム化した比較的狭い西アジア
②ヒマラヤ山脈でユーラシアから隔《へだ》てられたインド
③チベット高原でインドと隔てられ、モンゴル高原と接する中国

そのうち、農業地域が狭い西アジアでは、前の章で見たように早くから遊牧化が進みました。

インドは北のヒマラヤ山脈、西のタール砂漠とヒンドゥークシ山脈、東のチベット高原に隔てられており、進入路はアフガニスタンからカイバル峠を通ってパキスタンに至る狭いルートに限定されていたため、侵入が比較的難しい状態にありました。自立性が比較的守られたのです。

中国ではモンゴル高原からの遊牧民の侵入が繰り返されて遊牧系の王朝が相次ぎ、混血によって農業民のハイブリッド化（遊牧民族との混血化・雑種化）が進みました。中国社会が軍事化したのはそのためです。

例えば、**隋《ずい》・唐《とう》帝国はモンゴル系ですし、元《げん》や清《しん》の時代にはモンゴル人、満洲《まんしゅう》人にすっかり呑《の》み込まれてしまいました。**ですから黄河流域では、遊牧民の影響が強くならざるを得なかったのです。

ついでに触れておくと、満州平原の南に位置する**朝鮮半島も同様で、ツングース系の狩猟民が高句麗《こうくり》、高麗《こうらい》、李氏《りし》朝鮮（朝鮮王朝）を建て、軍事力により農業民の韓人《かんじん》を支配し**てきました。「北」が「南」の優位に立つ歴史が続いたのです。

ユーラシアの「資源地域」のインドと中国は農業社会を何とか存続させ得たものの、インドは多くの民族の「棲み分け」により言語の統一が進まず、中国は遊牧民族などの諸民族との長期間の「混血」で、ヨーロッパ人が考えたような同一の言語を話す「民族」は、いまだに出現していません。ヨーロッパ的な「民族」としては、括《くく》れない世界なのです。

歴史的・地理的条件が違っていますから、アジアの農業地域が多様な世界になったのは、当然のことでした。インドや中国は現在でも、国が多様な民族を囲い込む状態が続いています。

◉ハイブリッド化する世界で続くインドと中国

先に述べたように、現代の世界で飛び抜けて人口が多いのが、インドと中国です。その理由は、インドがガンジス川流域、中国が長江以南というように、農業生産力の高いアジア・モンスーン地域を支配したからです。

乾燥地帯から湿潤地帯に世界が拡大する中で、インドではドラヴィダ人とインド・アーリア人、中国では北の漢人と南の越人《えつじん》の混血と棲み分けが進み、さらに何次にも及ぶ遊牧民の侵入が加わりました。そこで人口が多く、混沌とした社会ができ上がったのです。

インド、パキスタン、バングラデシュを合わせたインド世界の人口は約15億人、中国の人口は約14億人と推定されており、二つの世界だけで世界の人口の約38パーセントを占めますから、もしそれぞれが「民族」ということになると、世界が「インド」「中国」「その他の多様な民族」に三分されることになってしまいます。

わかりやすく言うと、**「インド」と「中国」は東京のように人口が多く「密」で、人の出入りも多いため、地方の県のような特色が出てこないのに類似**しています。ヨーロッパと同じ基準でインド、中国を考えることは無理なのです。

中国は漢字と官僚制、インドはカースト制により、多様性を前提とする緩やかな統合を維持してきました。そこで本書では、明らかに他の諸民族とは規模が違うインド人と中国人を「複合的民族」として括り、バラバラなままで10大民族に加えることにしました。

◉「ルピー」紙幣と「人民元」紙幣が語る複合世界

二つの国の紙幣を見れば、インドと中国が多数の民族の複合による多民族国家であることが、一目瞭然《いちもくりょうぜん》です。インドのルピー紙幣の「表」面には公用語のヒンディ語と英語が記されていますが、「裏」面には15の言語（14のインド文字。ウルドゥ語はアラビア文字）が印

上がインドの2000ルピー紙幣。中央左寄りの囲みの中に15の言語が印刷されている。下が中国の50元紙幣で、右上に五つの言葉で「中国人民銀行」と書かれている。

刷されています。

　他方、人民元紙幣は、漢字、チベット文字（チベット語）、アラビア文字（ウイグル語）、モンゴル文字（モンゴル語）、ラテン文字（ベトナムと接する広西省の少数民チワン族のチワン語）の5種類の文字が用いられており、中国が農業民、遊牧民、山岳遊牧民の複合国家であることを物語っています。

　そうした紙幣は、インドと中国では言語の統一がなされておらず、ヨーロッパ的な意味での民族ができ上がっていない状況にあることを示しています。それは歴史を振り返れば当然のことで、一つの世界（複合的な民族世界）が国のかたちをとっているだけなのです。

◉「印度」「支那」は外部からの呼び名だった

インド世界の人々はヒンドゥー教信仰を踏まえ、自分たちを民族叙事詩『マハーバーラタ』の英雄バーラトの子孫と称しています。ですから、インドの正式な国号も血統を示す「バーラト」であって、「インド」という呼び名は、「インダス川の流域に住む人々」という意味のペルシア人（イラン人）による呼称です。

そうした呼称が中国では漢字に音訳されて、『史記』の「身毒」、唐の玄奘《げんじょう》が記した仏典の「印度」になりました。インド亜大陸の人々は、多数の言語、宗教、習慣を維持したままで、ヴァルナの制（カースト制。116頁）により結び付いたのです。

中国も多言語国家で言語の統一は進んでいません。現在でも北京《ペキン》語、上海《シャンハイ》語、福建《ふっけん》語は互いに全く通じません。民衆次元では、中国はバラバラなままなのです。ただ中国には優れた表意文字の「漢字」と、世界に冠たる官僚制がありますから、「官」の主導で広大で複雑な世界の統一性が一応保たれてきたのです。

ただ漢字と官僚による統合の副作用として、**①統制型のタテ型社会**、**②官尊民卑**、**③文**

字の習熟度による身分差などが生じました。

清朝末期には、漢人、満洲人、モンゴル人、ウイグル人、チベット人の五族協和《ごぞくきょうわ》が説かれましたし、現在の政権も「中華民族」を「漢族と55の少数民族の総和」と規定しています。

漢族（漢人）は、「中国人」の8割以上を占めるとされますが、先に述べたように言語的に分裂した状態にあり、さらにいろいろな要因でハイブリッド化が進んでいるため、**何をもって漢人とするのかが不明確**になっています。

漢人とは、もとは「漢帝国の支配下にあった人々」に対する周辺の人々の呼び名だったとされますが、それは一千数百年前のこと。漢の滅亡と混乱で大幅に人口が減り、侵入した遊牧民との混血で、かつての「漢人」はいなくなったという説もあるくらいです。そうしたことから「漢字を使う人」というほどの意味で使われている、曖昧な言葉なのです。

中国にも「支那《しな》」という、とても古い外部からの呼び名があります。始皇帝《しこうてい》が創建した秦《しん》帝国の巨大さが周辺に伝えられて、古代インドで「チーナ・スターナ」という呼び名が生まれたのがもとになっています。隋《ずい》代に中央アジアの大乗仏典が漢語に翻訳された際に、インドの呼び名が逆に漢語に音訳されて、「支那」「震旦《しんたん》」になりました。それがヨーロッパに伝えられて、英語のChinaになったわけです。

❹インド人——「棲み分け」とカースト制で多様性を保った

◉インドは州ごとに文字が違う多文字世界

インドは、パンジャーブ州のパンジャーブ語、グジャラート州のグジャラート語というように29もの「言語州」に分かれる多言語世界です。

中国が、モンゴル高原とじかに接していたことから遊牧民との混血が進んだのとは違い、北にヒマラヤ山脈がそびえるインドでは遊牧民の侵入が抑制され、多数の民族が地域ごとに自立性を保ったまま棲み分け、諸民族の共存が進みました。

インドの公用語は、中国語、英語に次ぐ世界第3位の国際言語のヒンディ語です。しかし、ヒンディ語はインドの人口の18パーセントが母語とし、3割の人々が話せるにすぎません。

もう一つの公用語が、イギリスが植民地支配に使った言語の英語です。その他に22の言語が公用語になっていますから、言語的には全くバラバラです。どうして、そのような状況になったのでしょうか。

先に述べたように、アフガニスタンからカイバル峠を経由するルートがインドへの唯一の進入路でした。そのために遊牧民の侵入が少なかったのですが、しかし一度インド亜大陸に入るとなかなか外に出ることがなく、広大な領域で多数の民族が棲み分けるしかなかったのです。

しかし、11世紀以後になると、アフガニスタン経由で**トルコ系イスラーム勢力の進入**が相次ぐようになり、13世紀には北インドのデリーという都市を中心に、**トルコ人の軍事政権（奴隷王朝）**が続くようになりました。

16世紀になると、中央アジアでモンゴル帝国の再建を目指していたトルコ人のティムール帝国の残党がアフガニスタン経由で北インドに入り、**ムガル帝国**（1526—1858）を建国します。

「ムガル」はトルコ語で「モンゴル」の意味ですから、インドにできた「ミニ・モンゴル帝国」ということになります。

その際に征服者のトルコ人が、公用語として持ち込んだ言葉がペルシア語でした。このペルシア語とインド最大の言語ヒンディ語が混じり合ったのが、インドから分離したパキスタンの公用語になっているウルドゥ語です。

◉カースト制が3000年続いた本当の理由とは

インドの多民族社会を、一つにまとめてきたのが**カースト制**でした。

「カースト」とは、大航海時代にインドに進出したポルトガル人の言葉で「血統」を意味する言葉です。一般的には、白人のインド・アーリア人がインドに侵入し、インダス文明をつくった黒人の先住民ドラヴィダ人を征服した際に作られた、肌の色による身分差別の制度と見なされています。

つまり、もともとのこの制度は、アーリア人が被征服民の黒人ドラヴィダ人を「奴隷」として宗教儀式から排除し、自分たちの社会を神と交わることのできるとされた最高位のバラモン（神官）、クシャトリヤ（武人）、バイシャ（庶民）の三つの身分に分ける制度だったのです。

彼らは、「浄」「不浄」の観念で人を区別する、宗教的なこの制度を「色」の意味で「ヴァルナ」と呼びましたが、のちに多様な職業集団をその貴賤《きせん》などにより細かく分類して組み込んで、複雑な身分制度に組み替えました。

そうしたカースト制が長期間続いたのは、**多くの部族が、余分な摩擦《まさつ》を生じさせない棲み分けの道具として利用した**からです。

つまり多くの王朝や部族に分かれたインドでは、地域を越える人々の接触を、階層・職業などに限定。カーストごとの「共食」「通婚」「職業の継承」などの細かいルールを定めて、必要のない摩擦を避けようとしたわけです。

多くの民族、部族が入り混じる社会では、あらかじめ不要な摩擦が起きないようにしておくことが必要だったのです。

インドは18世紀中頃からイギリスによる支配が進められ、１８５７年からは完全に植民地にされて、長い苦難の時代を過ごしました。イギリスが「棲み分け」社会であるインドを支配するために行なったのが、多神教のヒンドゥー教と一神教のイスラーム教の対立を煽《あお》り、「棲み分け」状況を壊すことでした。支配者の統治の要諦である「分割して、統治せよ」です。

20世紀にインドの独立を主導したマハトマ・ガンディーは「非暴力」を掲げ、粘り強く諸々の対立を乗り越え、伝統的な「棲み分け」社会に立ち返ってインドを共和国として復興させました。

私たちは、差別を温存するとしてカースト制を非難しがちですが、歴史的に見ると、それが合理的な知恵でもあったことが理解できるでしょう。

⑤漢人——言語が異なる人々をまとめた、独自の思想とシステムとは

◉漢字を操る官僚が支配する社会

漢字が共通して使われていますから、中国は一見、統一されているように見えますが、先に述べたように、言語的には不統一の多言語社会でした。福建《ふっけん》語と広東《カントン》語が、英語と日本語ほどに隔《へだ》たっていた例を挙げましょう。

飲茶は中国から世界に広まったのですが、「茶」の呼び方には２種類あります。日本語では「茶」が「チャ」ですが、英語では「ティー」ですね。この２種類の呼び方の違いは、日本人とかイギリス人がつくりだしたものではなく、もともと中国にあった違った呼び方なのです。広東の人は「茶」を「チャ」と呼び、福建の人は「テ」と呼びました。

この広東の呼び方が、陸路で日本、モンゴル、チベット、インド、西アジアなどに伝えられたのに対して、福建の呼び方は海の商人により、東南アジア、オランダ、イギリス、ヨーロッパに伝えられました。

現在でも、北京の中央電視台（日本でいうとＮＨＫ）のアナウンサーの発言が南のほうで

は理解できず、現地のアナウンサーが読み直すということが行なわれています。中国の文字をアルファベットに変えることができない理由がわかりますね。そういう中で洗練されてきたのが漢字ですから、漢字は人類の偉大な創作物といえます。

表意文字の漢字は習得が難しいのですが、国際文字としての特性を持っており、日本、朝鮮、ベトナムなど広い地域に普及しました。**しかし、漢字を操れても「漢人」とは見なされませんでした。そこにもう一つ「官僚システム」が加わっていたからです。**中国では漢字を操る官僚、その予備軍の知識人が特権「身分」だったのです。

漢字は5万字以上ありますからとても覚えきれません。さらに句読点もつけない不親切な「白文」が使われていましたから、文字遣いのスペシャリストが必要になり、そこから「官僚」という身分が生じたのです。

ですから、遣唐留学生として長安《ちょうあん》に渡り、**科挙**《かきょ》という高級官僚の登用試験に合格した阿《あ》倍仲麻呂《べのなかまろ》はベトナムの地方長官になるなど出世しましたが、日本人であるにもかかわらず漢人と見なされて「朝衡《ちょうこう》」と名乗ることを許されたのです。

つまり、多数の言語集団からなる「世界」だった中国は、漢字を操る官僚が統制する複合社会だったのです。

中国は、本当は有力な**宗族**《そうぞく》（共同財産を持つ部族）が争い合う不安定な社会だったのですが、文字を操る官僚とその予備軍が、王朝の手足となって漢字により秩序を維持しました。それは同時に、有力な部族の庇護《ひご》下にない庶民が官僚と部族により二重に圧迫されることを意味し、庶民にとっては受難のシステムになったのです。

◉東アジアの歴史問題は「天命思想」が引き起こす

各地の有力な宗族が争い合う中国では、世界は、宗族が共存する天下（世界）と考えられました。

もともと周《しゅう》（前１０４０頃—前２５６）は、支配部族のメンバーが各地の支配者となる体制（封建《ほうけん》制度）により全土を支配しました。つまり、有力部族が広い地域を支配する王朝体制です。

しかし、地方の開発が進むと、地方の有力な宗族も王朝を称するようになり収拾がつかなくなっていきます。春秋戦国《しゅんじゅうせんごく》時代（前７７０—前２２１）といわれる約５５０年間には、有力諸部族の争いが続きましたが、その中で、天命《てんめい》（天の神の委託）を受けた天子《てんし》（皇帝）が天下を支配するという**天命思想**が生まれます。

何とも荒唐無稽《こうとうむけい》な話なのですが、北極星の側に紫微垣《しびえん》という宮殿があり、そこに天帝という自然と人間世界を支配する神が住んでいて、「徳の高い人間」を自分の代理人として選び、天下の支配を委《ゆだ》ねるという政治思想です。このような発想に基づいて、王朝の交替も**易姓革命**《えきせいかくめい》により説明されました。天命が革《あらた》まって、支配者の一族の姓が易《か》わるという意味です。

例えば、殷《いん》の紂王《ちゅうおう》が贅沢にふけって民を疎《おろそ》かにしたために、天帝が意思（「天命」）を革めて、支配を委託する宗族（「姓」）が易わり周《しゅう》が立つと理解されました。

４世紀以降、モンゴル高原の遊牧民の進出が強まると、**遊牧民も漢化すれば天命を受けられる**とされました。

宋《そう》（９６０―１２７９）の時代になると、モンゴル高原の遊牧民の力が圧倒的に強まります。宋はモンゴル人の遼《りょう》との間に、宋を兄、遼を弟とする盟約を結ばざるを得なくなり、毎年莫大な銀と絹を贈って「平和」を買い取りました。

次いで満洲人の**金**《きん》（１１１５―１２３４）が台頭すると首都を奪われてしまい、都を江南の杭《こう》州に移して辛くも王朝（南宋《なんそう》）を維持します。南宋は金との間に、金を主君、南宋を臣下とする条約を結び、莫大な貢ぎ物を贈ることで生き延びざるを得ませんでした。

従来の「中華」と「夷狄《いてき》」の関係が逆転したわけですが、それは中華思想に浸り切っていた中国人にとっては天と地がひっくり返るような出来事でした。

そうした危機意識を背景に、天命を受けた宋の皇帝こそが真の皇帝であり、夷狄の勢力を退《しりぞ》けなければならないとする**「尊王攘夷」を説く朱子学《しゅしがく》**が登場します。朱子学は仏教の影響を受けた新儒教なのですが、遊牧民と漢人の関係が逆転する中で、民族的プライドを守ろうとする性格が強かったのです。

朱子学は明《みん》、李氏《りし》朝鮮の学問となり、日本でも江戸幕府の官学になりました。明が満洲人の清《しん》に代わると、李氏朝鮮では、夷狄が支配する清に代わり朱子学の中心が自分たちに移ったと考えるようになりました。現在でも韓国では、朱子学の「大義名分」の発想による保守的な歴史観に固執する傾向が強く、私たちには、歴史が政治の手段、あるいはイデオロギーの手段として使われているとしか思えないような状態が続いています。

「天命」「天下」「天子」という発想は、東アジアでさまざまに形を変えながら引き継がれており、東アジアの政治、民族問題を考える際のキー・ワードになっています。

「天命」の理念を取り入れると、時々の支配者はなぜ自分に「天命」が下ったのかを説明しなければならなくなり、その論拠を「歴史」に求めることになります。東アジアで過度に歴史問題が主張されるのは、そのためです（政権の基礎は「民命」だと思うのですが）。

中国の歴代王朝も、権力の正統性を説明するために、自分に都合が良いように前代の歴史を整理し、時には改ざんを加えて、自らに「天命」が下ったことを証明しなければ、民

図8　「中華」と「夷狄」から成る中国の世界観

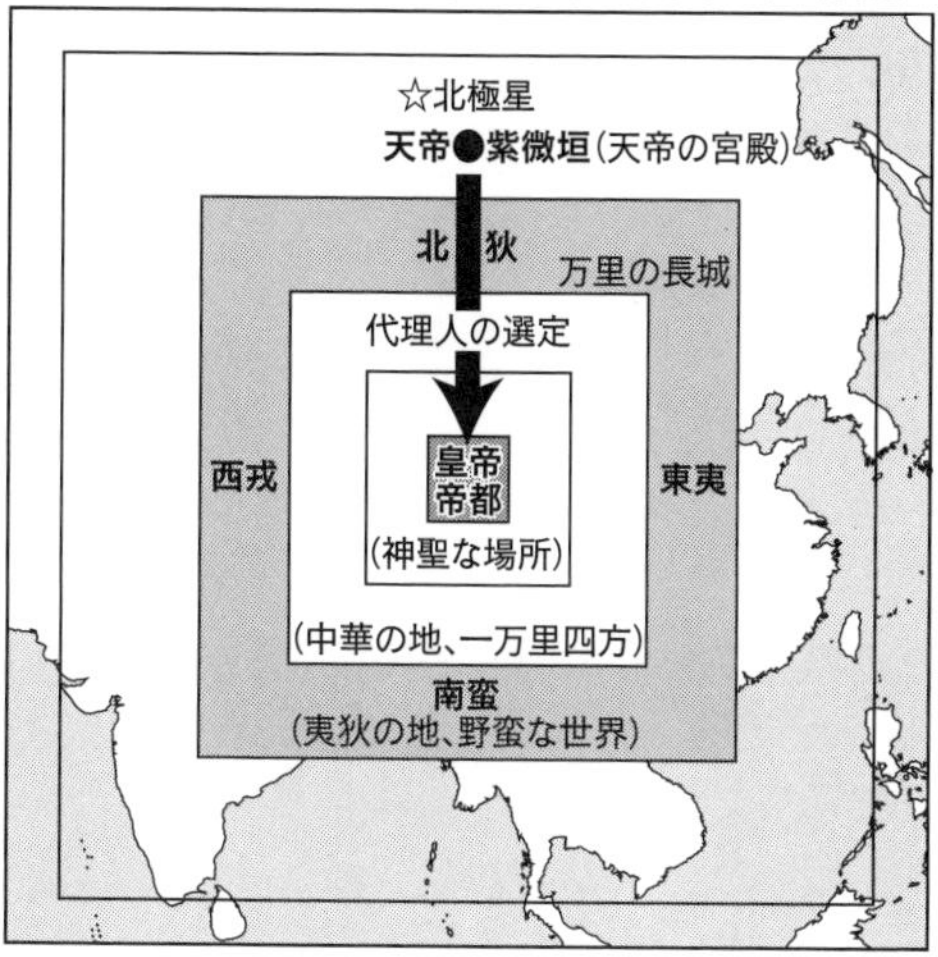

図9　中国の革命思想

禅定《ぜんじょう》（理想的）	天帝 統治の↓命令 君主（天子） 人望↑ 人民	●徳の優れた君主は自分の子にその位を譲らず、他の有徳者を見出して統治権を譲る 例：堯《ぎょう》→舜《しゅん》→禹《う》（夏《か》） 後漢献《けん》帝→魏《ぎ》文《ぶん》帝（曹《そう》丕《ひ》）
放伐《ほうばつ》（現実的）	天帝 ↓放逐《ほうちく》 君主 反抗↑ 人民	●天帝は、人民の反抗を受けた暴虐な君主を放逐し、代わりの有徳者に天下を統治させる 例：夏《か》桀《けつ》王→殷湯《いんとう》王 殷紂《ちゅう》王→周武《しゅうぶ》王

4世紀以降は、遊牧民（夷狄）も漢化すれば天命を受けられるとされた。

意が得られませんでした。

中国は「歴史書」の国といわれますが、それは、歴史が政治イデオロギーとして盛んに利用されてきた国であることを意味しています。

◉「中華」「中国」の発想は現代世界と共存できるのか

中国の農業世界では、「中華」「夷狄」という空間的な二分法の発想が伝統的でした。それは天命思想と密接な関係を持っており、天帝という神とつながる皇帝がいる帝都は神聖な場とされ、その周辺が「中華」。そこから遠ざかるほど野蛮、未開な「夷狄」の地になると考えられたのです。

それは、2年から3年ごとに繰り返された黄河下流の大氾濫で「陸に閉じ込められた」中国社会が世界を「同質の世界」と考え、異質な社会を「夷狄」として野蛮視したことにより強まりました。そこから、異質の世界との共存ではなく、**異質の世界を優れた世界（中華世界）に「同化」するという発想**が生まれてきます。

しかし、この同化という考え方は、異質な民族を民族として認めないという点では、大航海時代のスペインの新大陸のインディオに対する見方、19世紀のヨーロッパ諸国のアフリカの原住民に対する見方と、そんなに違いはありません。

第二次世界大戦中に、中国の指導者蔣介石《しょうかいせき》は「支那」は蔑称《べっしょう》であるとして「中国」という国号への変更を求め、同じ語源のChinaはそのまま残しました。しかし、それはおかしな話です。

中国の「国」の元字は、現在も台湾で使われている「國」の字です。囗（くにがまえ）の中に矛《ほこ》を表す「或」が入っているこの字は「武器で境界を守る」という意味で、周辺の野蛮人から区切られる領域を指しましたが、やがて文化的共通性と連続性を持つ大領域を意味することになります。

現在の中国の、清から引き継いだ大領域を農業民（漢人）を中心とする体制に転換させようとする試みは、モンゴル帝国（元）を引き継いだ明が行なった試みと類似しています。しかし、明の場合には、**朝貢《ちょうこう》体制**（中国の皇帝と周辺諸国が臣下の関係に立ち、貢ぎ物の献上・下賜の関係で行なわれる貿易体制）、**海禁政策**（民間商人の海外貿易の禁止）がとられ、大航海時代と東アジアのシルバー・ラッシュという国際化の波に乗り遅れ、それが理由になって衰退していきました。

大規模な農業社会を統合するために民族主義が必要なことは、ある程度理解できるのですが、天下（世界）を「中華」と「夷狄」に分け、自分たちは「中華」「中国」であるという主張を、諸国家の平等を唱えるグローバル世界とどのように協調させるのかが、大きな課題になると思います。

ちなみに「中華」の語源は、黄河中流域の中心の洛陽《らくよう》盆地のシンボルである急峻《きゅうしゅん》な山、華《か》山《ざん》にあるとされています。もともとは「洛陽風」というほどの意味の呼称だった「中華」が、同化が進むにつれてどんどん領域を拡大。「世界の中央にある文明の地」として拡大解釈されるようになったのです。

第五章

大草原から出て次々と帝国を築いた3大遊牧民族

第二の舞台・後編

モンゴル人、トルコ人、満洲人

大帝国を建てた民族が、モンゴル高原から出た理由

中央アジアの草原地帯には多くの牧畜民が居住していましたが、その中心になったのが、黄河流域の農業地域に容易に進出して、穀物を獲得できる**モンゴル高原**でした。世界史を通じて、モンゴル高原が中央アジアの大草原の遊牧民の中心的な活動の場になったのはそのためです。

やがて、騎馬技術が進歩して遊牧民の機動性が高まり、中央アジアの商業も盛んになってくると「ユーラシアの大回廊」となる東西８０００キロの大草原の地政学上の優位が、際立っていきます。

中央アジアの大草原はウマに乗れば短時間で横断でき、南にイスラーム、中国の２大農業地帯があり、北のロシアの森林地帯、西のヨーロッパともつながりましたから、ユーラシアに大帝国を築き上げる際の中心的な空間になりました。

大草原はあまりに広大で利用するのが難しかったのですが、騎馬戦法が日常化し、ムスリム商人の活動が活発になると、そこから西アジアと中国の２大農業地帯を結び付ける大

帝国の形成が可能になりました。

そうした中で、商業民との結びつきを強めた**❻モンゴル人**、**❼トルコ人**が、モンゴル高原の遊牧民から脱皮して、世界史を転換させる大民族に変身していきます。**ウマの利用↓騎馬技術の体系化↓騎馬軍団の出現↓商業民との提携**という4段階を経て、**強大化**していったのです。

騎馬遊牧民は、寒冷化に迫られて南下を始め、農業世界の混乱があるたびにそれを利用して進出を繰り返しました。やがて、遊牧部族は連合して強大な軍事勢力になり、組織的な征服ビジネス（67頁）に乗り出します。モンゴル人、トルコ人はユーラシア規模の大帝国を築き、世界史を大きく転換させたのです。

中央アジアの大草原の東端に位置し、モンゴル高原に隣接する満州平原では、モンゴル高原での遊牧民族の台頭に刺激されて、ツングース系の狩猟民である**❽満州《まんしゆう》人**が台頭しました。

彼らは、モンゴル高原、中国、朝鮮半島を結ぶ商業で力を強め、ラッキーな諸条件も幸いして「東アジアの大帝国」清《しん》を建てています。

❻モンゴル人——ユーラシアを一体化し大商業ネットワークをつくる

◉「モンゴロイド」はアジア人の代名詞

モンゴル人については、広義と狭義の意味があります。広義のモンゴル人は、ご存じのように「モンゴロイド（Mongoloid）」です。「oid」はラテン語で「〇〇に類する者」を意味し、ユーラシア東部の広領域、北・南アメリカに移住した人類集団を指しますが、それだと世界の3分の2の陸地にモンゴロイドが居住していることになります。

そうした説を広めたのが、先に述べた「人類学の父」とされるドイツ人（イギリスから帰化）のブルーメンバッハ（24頁）です。彼は、ガンジス川とカスピ海以東の広大なアジアに住む人々をモンゴロイド、南北アメリカに移住したモンゴロイドをモンゴロイドの変種だと考えました。

人類の大多数を占める黄色人種を「モンゴル」と呼んだ理由については、モンゴル高原がアジアの中央に位置していること、モンゴル民族がユーラシアを統合する大帝国を築いたことが大きな理由になっていると推測されます。

乾燥したモンゴル高原は、住みにくさという点ではアラビア半島と双璧をなしています。

高原の冬の寒さは厳しく気温が零下30度まで下がり、シベリアの烈風が大地を削るほどに吹きすさびました。そうした厳しい生活環境とそれに伴う穀物の欠乏が、モンゴル人の中国への進出を激化させ、ユーラシア規模の帝国が形成されるエネルギーになりました。

厳しい自然環境の中で足腰が鍛えられましたから、モンゴル人力士が日本の大相撲を席《せっ》巻《けん》する状況も生まれてくるわけです。モンゴル帝国の時代、情報収集のためにモンゴル高原を訪れたヨーロッパの宣教師は「これが世界を制覇した民族の生活とはとても思えない」と、その質素な生活ぶりを伝えていますが、騎馬技術は卓越していました。

◉万里の長城もなんのその！　漢帝国を衰亡させた匈奴

モンゴル高原から最初に出た遊牧騎馬民族は**匈奴《きょうど》**です。前3世紀に父親を殺して単于《ぜんう》（王）の地位についた冒頓《ぼくとつ》が、秦《しん》帝国に奪われた地域を回復し、月氏《げっし》を西に追いやって大帝国を築きました。匈奴が強大になった理由を突き詰めると、**始皇帝による万里の長城の修築**にあったと考えられます。

黄河中流域の穀物に依存せざるを得ないモンゴル人にとって、秦が強固な防御体制を固めたのだから秦への侵入を諦めよう——ということにはならず、より多くの部族と結び付いて穀物の獲得に乗り出すようになったのです。

遊牧社会は狩猟・採集社会の延長線上にありましたから、「有るところ」から穀物を奪うのは悪いことではなく、当然のことと見なされました。農業民には理解することが難しいかもしれませんが、**侵略・征服は食べていくための当然の行為であり、ビジネスの手段でもあった**のです。

そこでモンゴル人の諸部族は強力な王（単于）の下に集まり、王に直属する騎馬軍団を組織しました。しかし、大勢の兵を集めると家畜が1か所に集中しますから、エサとなる草が不足し、農業民から余計に多くの穀物を奪い取るしかなくなります。農業民の側も防御態勢を固めるため、当然、総力戦となり対立が大規模化しました。

秦が滅亡して、項羽《こうう》と劉邦《りゅうほう》が覇権を目指して激しい争いを繰り返した時期に、急速に匈奴の力が拡大したのは当然のことです。

漢帝国が成立する数年前に、冒頓単于は白登山《はくとさん》という所で7日間にわたって劉邦の軍を包囲し全滅の寸前にまで追い詰めます。その際に劉邦は使節を単于の下に送り、公主《こうしゅ》（皇帝の娘）を単于の妻として差し出し、毎年、絹、穀物などを贈ることで和約を結びました。

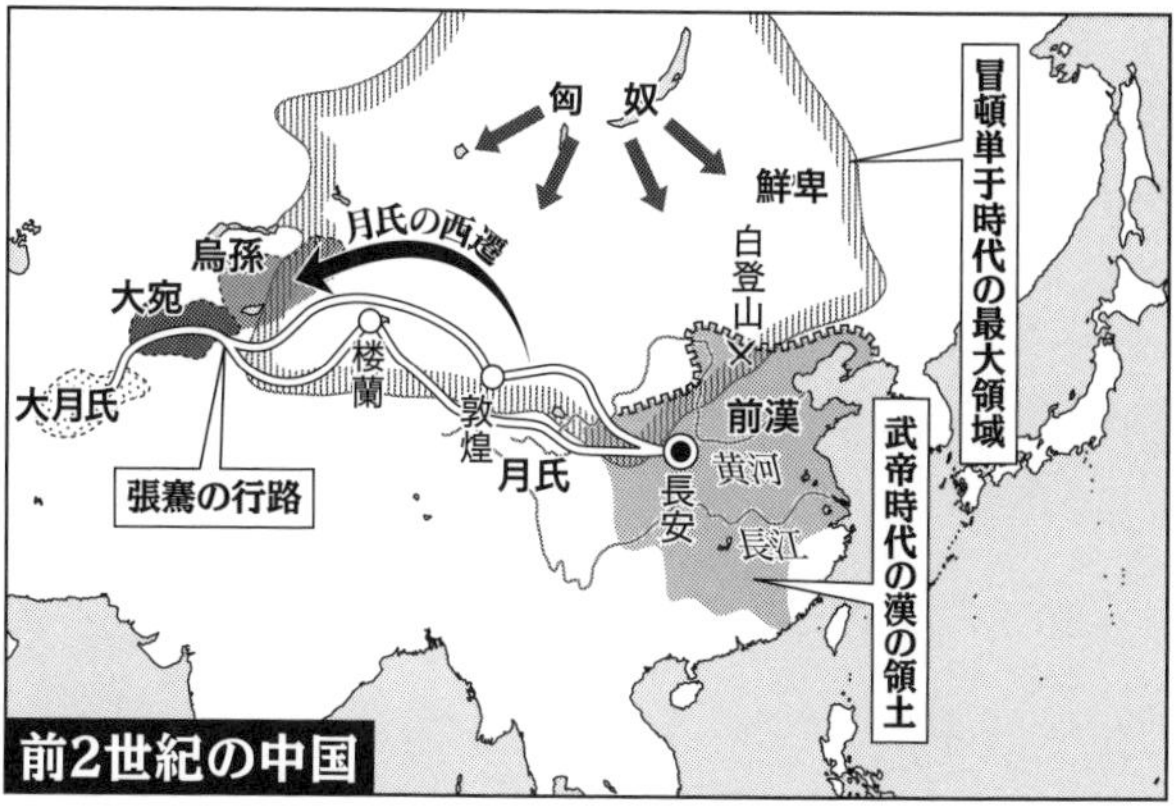

前2世紀の中国

それで両勢力の間の戦いは停止されましたが、匈奴側が優位に立ったのです。

そうした状況を打開しようとして、匈奴に対する大戦争を組織したのが、漢の全盛期の皇帝**武帝**《ぶてい》（前１４１―前８７）でした。武帝は張騫《ちょうけん》を使者に、匈奴に西方へ追われた大月氏に共同戦線を張ることを持ちかけてもいます。

武帝は十分な経済力を蓄え、帝国の総力を結集して大戦争をしかけましたが、ウマに乗って移動する「草原の民」の匈奴を屈服させることは不可能でした。漢の側は大量の兵員、食糧を用意しなければならず、占領地域が拡大するとそれを維持するための費用がバカになりません。結果、財政難に陥って戦線の維持ができなくなったのです。

こうして漢帝国では、農民が重い負担により没落。

それを利用して地方の豪族が台頭し、権力争いが再燃しました。豪族が魏《ぎ》、呉《ご》、蜀《しょく》に分かれて戦う内戦の時代（**三国時代**。２２０―２８０）に入ったのです。漢の時代から続いた内戦の結果、三国時代には人口が漢の最盛期の10分の1以下にまで減少してしまいました。

一方、匈奴の側も漢の働きかけがあって、ゴビ砂漠の北の北匈奴と南の南匈奴に分裂。南匈奴と漢の連合勢力により北匈奴が追われたことで、古代の遊牧民と農業民の大戦争は終止符を打ちました。匈奴と漢帝国の一連の戦争は、**スキタイ人の騎馬技術をマスターしたモンゴル人の騎馬軍団がいかに強力であるかを示す歴史的なデビュー戦**になったのです。

18世紀のフランスの学者ジョセフ・ド・ギーニュは「モンゴル高原を追われた北匈奴がさらに西に追われて、ゲルマン民族の移動を引き起こすフン族となった」と推定しましたが、論拠に乏《とぼ》しく定説にはなっていません。

◉唐を建国したのは、漢人ではなくモンゴル系の鮮卑人だった

匈奴が衰退したあとにモンゴル高原で有力になったのが、満州との境に住むモンゴル系の**鮮卑《せんぴ》人**でした。しかし、シベリア南部から強力なトルコ系の**突厥《とっけつ》**が南下。鮮卑人は南の中国に押し出されてしまいます。

しかし、何が幸いするかわかりません。鮮卑人が南下した時期の黄河中流域は、大混乱の状態でした。西晋《せいしん》の内紛（八王《はちおう》の乱）を利用して、周辺の遊牧民（五胡《ごこ》）が小国を建て、互いに争い合っていたのです。**五胡十六国《ごこじゅうろっこく》時代**（３０４—４３９）です。そうした中で鮮卑人の拓跋《たくばつ》部族が強大になり**北魏《ほくぎ》**（３８６—５３４）を建国。五胡十六国を統合します。

その後、北魏の第６代皇帝孝文帝《こうぶんてい》は、積極的に漢人に同化していきました。漢人の有力豪族との混血を進めることで中国の農業社会に根を張ろうとしたのです。彼は、都を洛陽《らくよう》に移し、鮮卑語を捨てて漢語を公用語にしました。

それには、①言葉がそれぞれ違う遊牧民（五胡）の言葉を漢語で統一する、②漢人の有力者と連合する、という二重の狙いがありました。遊牧民の服装も中国風に改め、漢人の民族的な自尊心を満たしたのです。

北魏は、軍事力により各地の部族から畑を取り上げて、皇帝の下に畑を集中する**均田制《きんでんせい》**をつくり上げていきます。

しかし、そうした急速な漢人化は一部の反感を買って鮮卑人は分裂。結局、「遊牧民の生活を維持する派」が勝つのですが、漢人取り込みの政策は維持され、后《きさき》の一族（外戚）の鮮卑人が帝位を奪って**隋《ずい》**（５８１—６１８）を建国。南朝を倒して全土を統一します。

　隋は、大運河を建設して長江以南の穀物を支配しましたが、一挙に拡大した大領域を治めるには有能な漢人が必要になります。そのために**科挙《かきょ》**が実施されました。しかし、隋は朝鮮半島のツングース系の高句麗《こうくり》（モンゴル高原の遊牧民と提携する恐れがあった）への三度にわたる遠征に失敗。農民反乱によって倒されました。その際、同じ拓跋部族の反乱軍の李淵《りえん》とその子の李世民《りせいみん》が決起して**唐**（６１８—９０７）が建国されます。

　このように見ていくと、日本の古代史との関連で、中国を代表する大農業帝国と見なされてきた**唐帝国は、モンゴル系の鮮卑人がつくりあげた、最初の征服王朝**ということになります。

　唐は、モンゴル高原で覇権を握ったトルコ系の東突厥《ひがしとっけつ》を倒してモンゴル高原に返り咲き、農業社会を中心にして遊牧民をも複合的に支配。皇帝は「天可汗《テングリカガン》」と称して、モンゴル高原も支配下に置きました。

　現在の教科書では、隋・唐帝国は漢人の王朝としていますが、それがモンゴル系鮮卑人の王朝ということになると、秦・漢帝国以後の統一王朝のうち、隋、唐、元、清という巨大王朝が遊牧系になってしまい、漢人の王朝は宋と明のみとなり、一挙に遊牧民の王朝が大部分を占めることになってしまいます。

図10　中国の歴代王朝

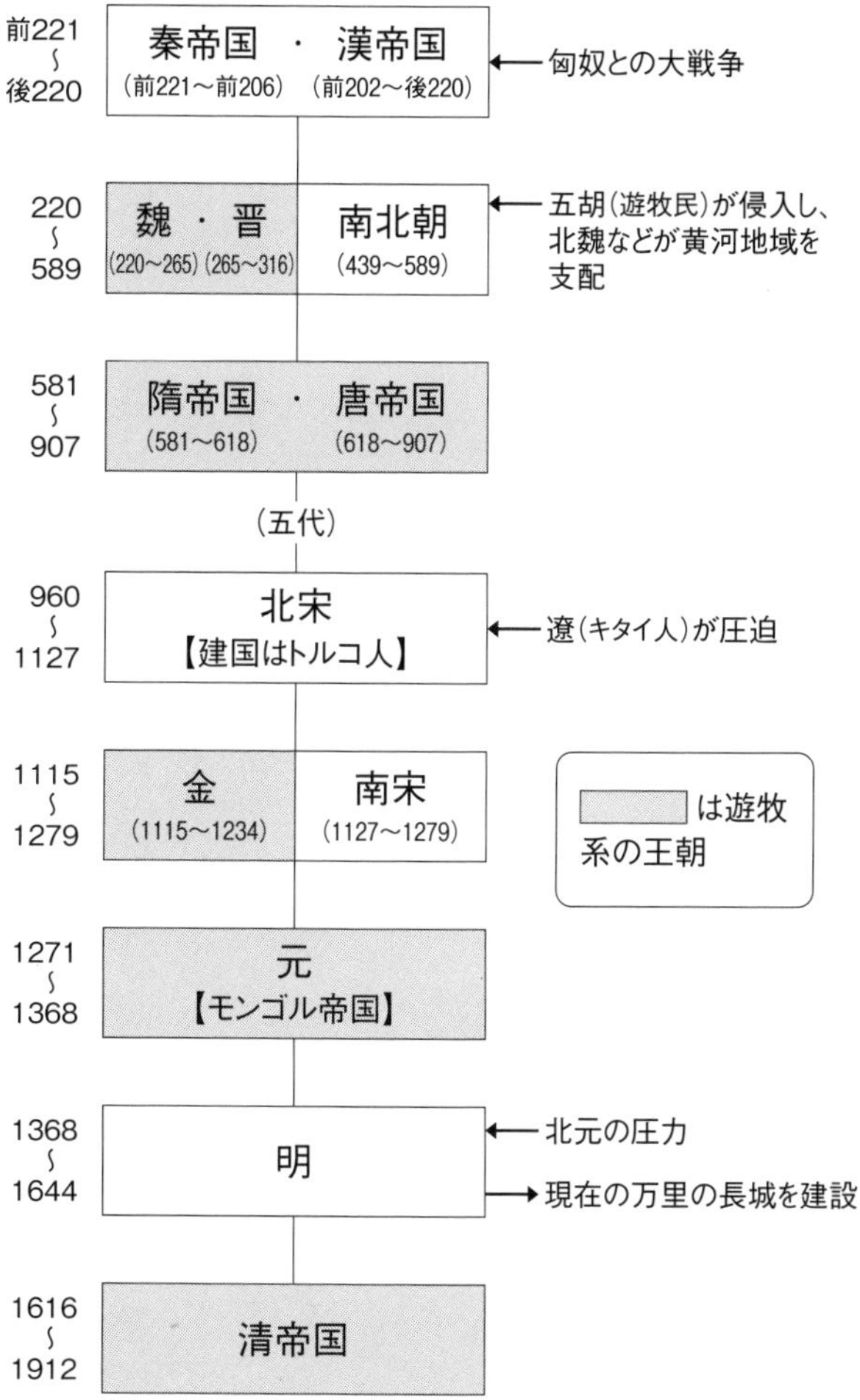
前221
後220
秦帝国
（前221〜前206）
漢帝国
（前202〜後220）
匈奴との大戦争
220
589
魏
（220〜265）
晋
（265〜316）
南北朝
（439〜589）
五胡（遊牧民）が侵入し、北魏などが黄河地域を支配
581
907
隋帝国
（581〜618）
唐帝国
（618〜907）
（五代）
960
1127
北宋
【建国はトルコ人】
遼（キタイ人）が圧迫
1115
1279
金
（1115〜1234）
南宋
（1127〜1279）
は遊牧系の王朝
1271
1368
元
【モンゴル帝国】
1368
1644
明
北元の圧力
現在の万里の長城を建設
1616
1912
清帝国

◉宋に〝平和の代償〟を求め続けたモンゴル系の遼

匈奴、鮮卑人に続いてモンゴル人の大勢力になったのが、モンゴル高原と満州の境の興《こう》安嶺《あんれい》の東斜面を原住地とする**モンゴル系のキタイ人**（契丹《きったん》人）です。キタイ人は、**遼**《りょう》（916―1125）という帝国を建てましたが、それが3番目のモンゴル人の帝国になります。

ホンコンにキャセイ・パシフィック航空という航空会社がありますが、その社名は「キタイ」から来ています。これは**元**《げん》の時代に中国を訪れたマルコ・ポーロが、中国を「北」のカタイと「南」のマンズ（蛮子）として紹介したことによります。そのカタイが英語の「キャセイ」という中国の古名になったのです。

ちなみにマンズとは、元がかつての南宋の住民を差別した言葉で「野蛮な奴ら」の意味。**草原をウマで走り回る遊牧民から見れば、限られた土地（畑）にしがみついて一生を終える農民は「野蛮人」に見えた**のです。

モンゴル高原から遠く離れた江南に中心を置く宋は軍事面で遼に対抗できず、先に述べたように宋が遼と兄弟の関係になり、毎年、絹20万匹（1匹は約9・4メートル）、銀10万両を貢ぎ物として支払うことで約120年の間、平和を買い取りました。シルクロードの商人と強い結び付きを持った遼にとっては、宋との取引により商業の原資が得られるわけですからオイシイですね。

キタイ人はゴビ砂漠の北の草原に都市をつくり、積極的にシルクロード商人と商売をしました。首都には、シルクロードで活躍していたウイグル商人の居留地が設けられていたといわれています。そうした**商業を重視するモンゴル人の新しい動きは、チンギス・ハーンの時代にモンゴル帝国が一挙にユーラシア化していくための土台**を築きました。

遼は、満洲人の**金**《きん》（1115―1234）に倒されましたが、残存勢力は商業路に沿って西へ西へと移動して、中央アジアに**カラ・キタイ**（西遼）を建国します。キタイ人はその地でムスリム商人との取引を盛んに行なうようになり、モンゴル高原とイスラーム商業の結び付きが強まりました。

◉なぜチンギス・ハーンがユーラシア帝国を建設できたのか

モンゴル高原は先に述べたように、大草原の遊牧民が比較的簡単に食糧を獲得するための最前線でした。大草原の遊牧民が西アジアの農業地域に至るには、シル川とアム川（54～55頁の地図）の間の広大な砂漠を越えなければなりませんでしたし、インドにはヒマラヤ山脈があって侵入できなかったからです。

モンゴル高原から黄河流域へというコースが最も穀物を獲得しやすいルートだったのです。ただ、チンギス・ハーンの時代は満洲人の金が黄河流域を押さえていて穀物の獲得がままならず、モンゴル人はシルクロードに活路を求めなければなりませんでした。それが、ユーラシア規模のモンゴル帝国が形成される条件になりました。

モンゴル高原が12世紀初めに金の支配下に入ると、満洲人はモンゴル人を互いに対立させる政策をとります。そうした状況下で、若くして父親を殺害された**テムジン**が、40歳を過ぎてやっとモンゴル高原を統一します。

１２０６年に、テムジンはクリルタイ（部族長会議）でモンゴル高原の長となり、「地上における唯一の指導者」として、チンギス（光り輝く）・ハーン（王）の称号を与えられました。

チンギスは、金の軍制をまねて十進法で遊牧部族を再編。部族長を万戸長、千戸長、百戸長などに任命して、同数の騎兵を指揮させました。そうした指揮官の地位は、もともとは「序列」「身分」を示す言葉でしたが、次第に統率する兵の数を示すようになりました。そうした序列により指揮系統が明確になり、厳格な軍律がつくり出されたのです。

チンギスは、遼が先鞭《せんべん》をつけていた中央アジアの商業に着目。効率的に高収益が得られ

12世紀のユーラシア東部

る商業路を支配下におき、商人を保護して税を徴収しようとしました。それが、モンゴル帝国をユーラシア規模に飛躍させるきっかけになったのです。

さらに、商業に特化していたカラ・キタイ（西遼）を滅ぼして中央アジアに進出。シルクロードの中心のソグド地方（69頁の地図）を支配するトルコ系の**ホラズム朝**（1077―1231）に使節団を派遣して縄張りを分け合おうとしたのですが、使節として派遣したムスリム商人団が殺害されたことで関係が悪化。自ら20万人の軍を率いてシルクロードの主要都市を次々と破壊した末、ホラズムを滅ぼしました。

チンギスは他方で、シルクロード東部を支配していたチベット人の商業勢力の**西夏**《せいか》（1038―1227）を攻めます。その結果、モンゴル帝国は中央アジアの商業路の一括支配に成功。一挙に、ユーラシア規模の商業帝国に躍進することになりました。しかし、チンギスはその時点で世を去っています。

◉葬られた場所がわからない草原の英雄

１２２７年、チンギスは落馬した際の傷が癒《い》えず、西夏を攻撃する陣中で没しました。遊牧民がウマから落ちるなどということは珍しいのですが、チンギスも60歳を超えていましたから、あり得ることです。

彼の遺体は、死を隠しながらモンゴル高原に搬送されましたが、衛兵は秘密を守るために出会った人を皆殺しにしたといわれます。遺体が拠点のケルレン川に戻ったところで、その死が公表され、ケルレン川の源流のブルハン山に葬られました。

マルコ・ポーロの『東方見聞録』は、埋葬された場所を隠すために、葬られた場所を１０００頭のウマで固く踏み固めさせ、葬った場所が発見されないようにしたと記しています。ただ、かつての宮廷の側にチンギスの霊廟《れいびょう》のゲルが設けられて、チンギスを祭る行事が行なわれたとされます。

モンゴル人は地中に深い穴を掘って遺体を埋葬し、墓標は作りませんでしたから、チンギスがどこに葬られたかは、現在も謎のままです。

急激に台頭してきたモンゴル帝国の実情を探るためにヨーロッパから派遣された修道士たちは、3日間食を断っても音をあげず、平然と生活するモンゴル人の生活ぶりを、驚きをもって記しています。チンギスの埋葬にも垣間見られるのですが、質実剛健な生活が彼らのエネルギー源になりました。

チンギスの死後、ユーラシアの東西商業路は、砂漠のシルクロードから遊牧民にとって使い勝手の良い**「草原の道」**に改められ、数キロ毎に宿駅や警護所が設けられて駅伝制が整えられ、治安が維持されました。さらに関所ごとに税をとることをやめ、商人から一括して3パーセント程度の通行税を取るように改めました。その結果、東西商業、東西文明の交流が一挙に進むことになります。

モンゴル帝国の商業は、ムスリム商人の主導の下に行なわれ、**銀が国際通貨**になりました。この時代、**モンゴル高原がイスラームの経済圏に組み込まれた**のです。

◉大モンゴルは「征服ビジネス」が育てた

モンゴル帝国の興隆期のユーラシアは、次のような四分五裂の状態にありました。

①中国…満洲人の金と漢人の南宋が対立
②西アジア…トルコ人の王朝が四分五裂。シーア派の勃興によりアラブ人のアッバース朝が形骸化
③ロシア…内紛でキエフ公国が分裂
④地中海…イスラーム教徒とキリスト教徒の間で十字軍の戦い

強力な騎馬軍団を持ち、ユーラシアの大商業路を支配したモンゴル帝国が、草原や商業路に沿って軍団を動かして大領域を支配する条件が十分に整っていたのです。

そうした有利な条件を生かして、モンゴル人は征服地を拡大。そこから税を取る征服ビジネスをユーラシア規模で展開します。遠征はモンゴル部族が連合するかたちで行なわれ、遠征が成功すれば働きに応じて、戦利品、徴税権が分配されました。

征服は、以下のようなかたちで進められました。

①１２３４年…中国北部を支配する金の征服
②１２４０年…ウクライナのキエフ公国を滅ぼす

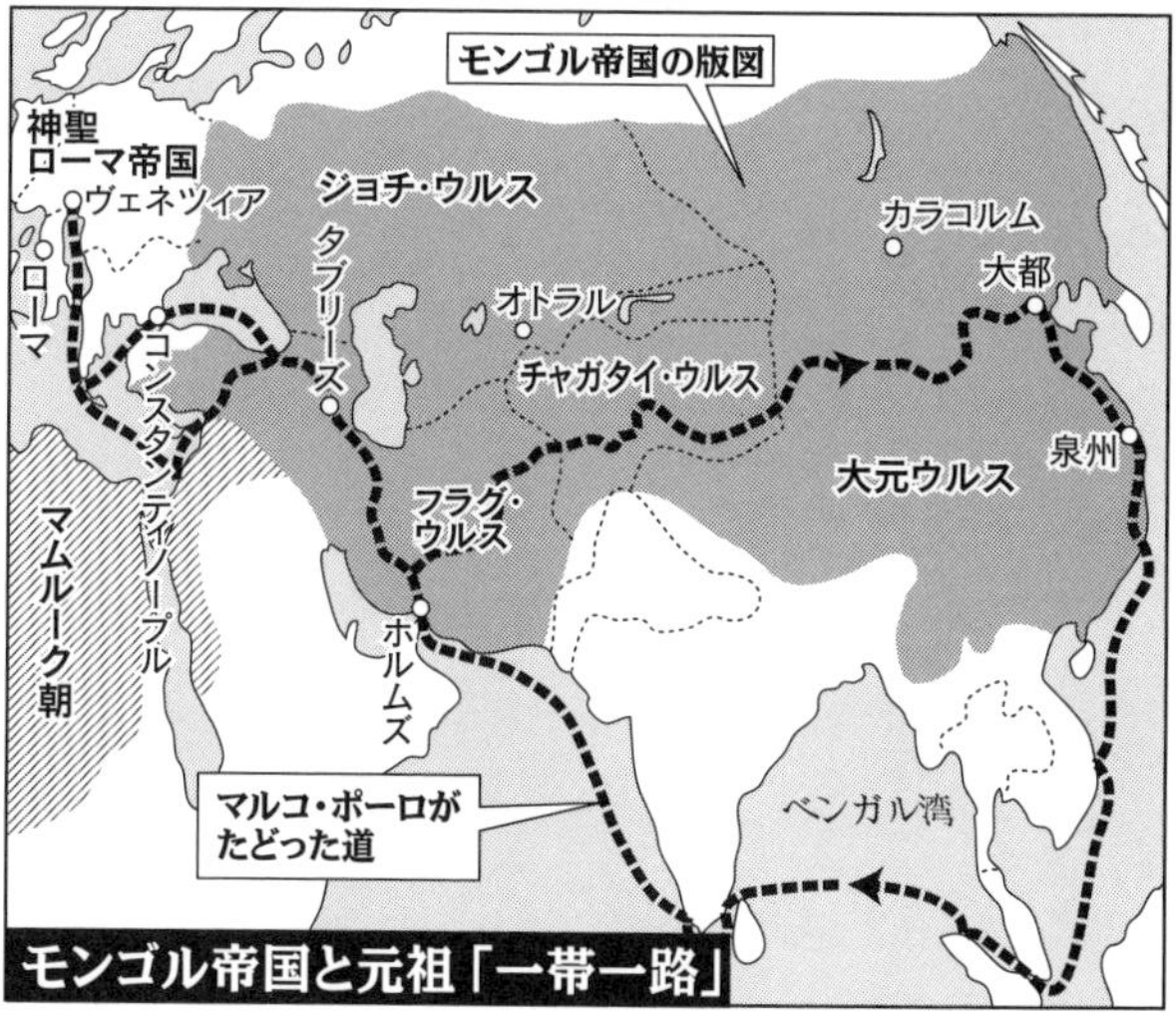

モンゴル帝国と元祖「一帯一路」

③１２４１年…ポーランドに進攻。ワールシュタットの戦いでポーランド・ドイツの連合軍を破る
④１２５８年…バグダードを征服。アッバース朝を滅ぼす
⑤１２７３年…朝鮮半島の高麗《こうらい》を征服
⑥１２７４年・８１年…日本に対する元寇《げんこう》に失敗
⑦１２７９年…中国南部の南宋を滅ぼす

騎馬軍団による一連の軍事征服で、モンゴル軍はユーラシアの大部分を部族連合として支配し、ユーラシア規模の大帝国を樹立しました。その総面積は、約３３００万平方キロで、日本の面積の約87倍に及びます。

西に向かって驀進《ばくしん》する**モンゴル軍の西進を阻止したのが、シリア、エジプトに建てられたトルコ人のマムルーク朝**（１２５０―１５１７）でした。トルコ軍は、１２６０年にシリアに迫ったモンゴル軍をアイン・ジャールートの戦いで下しています。

モンゴル帝国は、①モンゴル高原と中国（大元ウルス）、②中央アジアの商業路・草原（チャガタイ・ウルス）、③ロシア（ジョチ・ウルス）、④西アジアのイスラーム世界（フラグ・ウルス）に４分され、大都（北京）の大ハーンが統率しました。なお「ウルス」とは、モンゴル語で「人々の集団」という意味になります。

◉「フレー・フレー」はモンゴル軍の鬨の声？

大帝国を築いたモンゴル人由来の言葉が、今も残っています。

イスラーム勢力と十字軍で戦っていたヨーロッパの人々は「イスラーム世界の背後で急速に勢力を拡大したモンゴル帝国は、大キリスト教国（聖ヨハネの国）ではないか」という期待を抱いていました。そうした期待を打ち砕いたのが、１２４１年にポーランド西部のリーグニッツで戦われた、モンゴル軍とポーランド・ドイツ連合軍との戦い（ワールシュタットの戦い）でした。

ワールシュタットの戦い（1241年）を描いた絵。右側と前面にモンゴル人の残忍な描写がなされ、ヨーロッパ人の死体の山が築かれている。

戦いに圧勝したモンゴル軍が死体の山を築くと、一転して、ヨーロッパ人はモンゴル人に対して恐怖心を抱くようになります。

そしてヨーロッパ人は、ギリシア神話で冥界《めいかい》のさらに下に位置する奈落《ならく》の世界を治める神タルタロスのように恐ろしい人々という意味で、モンゴル人の呼び名「タタール」を「タルタル人」と改めました。フランス料理のタルタル・ソースはそれに由来しますが、「地獄のソース」ではなく、皆さんご存じのように「草原の民のソース」というほどの意味です。

もう一つ面白い話があります。運動会の応援の掛け声に「フレー、フレー」がありますね。実は、その言葉がモンゴル軍の鬨《とき》の声に由来するという、かなりまじめな説があります。モンゴル軍の「ウラー（ura）」（「万歳」の意味）が、ロシア語の「ウラー」になり、ドイツ語の「フラ（hurra）」を経て、英語で「万歳」の意味の「フレイ（hurray）」になったというのです。日本で定着したのは、大正時代とされます。

モンゴル高原のモンゴル人の鬨の声が、はるばるヨーロッパ経由で日本に入り、大正時代に定着したとは、ちょっと信じがたい話ですね。

◉中国文明を蔑視し征服者として統治したフビライ

モンゴル帝国の最盛期は、第５代の大ハーンである**フビライ**（在位１２６０―９４）の時代です。彼は兄のモンケ・ハーンの死後に、支持派だけのクリルタイ（部族長会議）を開いて大ハーンの地位につき、国号を大元《たいげん》に改めました。

フビライはかつての鮮卑人が唐を建てたように、大収入源の中国を重視しました。しかし、彼は「漢化」しなかっただけではなく中国の農業文明を蔑視《べっし》し、ムスリム商人と組んで「征服者」としての統治を行ないました。科挙を廃止し、儒学の学者を無用の存在として位置づけたのです。

商業重視のフビライは、流通面での税収を考え、さらに塩税収入（国庫収入の8割）を重んじました。そして銅銭を廃止してモンゴル政府が発行する紙幣に一本化し、流通、金融面から中国を支配しました。**元は、世界初の紙幣帝国**となったのです。

さらにフビライは、元の住民を4身分に分け、要職はモンゴル人と色目人《しきもくじん》（中央アジア・イラン出身のムスリム商人が中心）が独占し、人口の9割以上を占める漢人（金の支配下にあった「漢人」）、南人（南宋の支配下にあった「漢人」）を一方的に支配しました。

そうしたことから農業地帯の支配が手薄になり、モンゴル人支配の打倒と世直しを叫ぶ農民反乱（紅巾《こうきん》の乱）が起こります。これを契機に反モンゴル勢力が台頭。モンゴル人はモンゴル高原に追い出される（北元）ことになりました。

◉フビライの時代に隆盛を迎えた〝元祖〟一帯一路

フビライの時代にモンゴル帝国は、「草原の道」と「海の道」を結び付けて、アジアの陸・海の大商業路を「円環ネットワーク」として支配しました（145頁の地図）。

陸上では、それまでの「シルクロード」に代わって駅伝制により組織された「草原の道」が、東アジアの中心の元の大都とイスラーム世界のフラグ・ウルスの首都タブリーズを結び付けました。

大量の商品が輸送された「海の道」では、ホルムズを拠点とするムスリム商人の商業圏と、台湾海峡に面した福建の泉州を拠点とする中国商人の商業圏がマラッカ海峡で結び付けられて、「パックス・モンゴリカ（モンゴルの平和）」の幹線ルートになりました。フビライに十数年間、役人として仕えたヴェネツィア商人マルコ・ポーロは、泉州とホルムズをつなぐ「海の道」によりペルシア湾に戻っています。

蒲寿庚《ほじゅこう》というムスリム商人が支配する泉州の商人たちの元に対する発言力が強く、当時「黄金の国」といわれたジャワ島に対する元寇が組織されましたが、日本への元寇と同様に失敗しています。

商業を重んじるモンゴル人は、積極的にイスラーム帝国の「海の道」を引き継ぎ、海の商業も活発化させたのです。

❼トルコ人——モンゴル高原〜地中海までの広大な地域で活躍した

◉ユーラシア全体に広がるトルコ人

モンゴル人は、中国の大穀倉地帯と接するモンゴル高原に一貫してとどまり、大遊牧民へと変貌していきました。それとは対照的に、**中央アジアとの商業を重視したトルコ人は、西に向かって移動を続けて地中海にまで至り、最終的にオスマン帝国を建国**することになります。

その過程で、トルコ民族は、中央アジア、北インド、西アジア、ロシア、地中海というようにユーラシア全域に広がりました。全体として見ると、ユーラシアの歴史のスーパースターになったのです。

現在、トルコ人は中国の6分の1の面積を占める新疆《しんきょう》ウイグル自治区（日本の面積の4・5倍）、西アジアなどに居住しており、現在もイスラーム世界の大勢力であるのみならず、オスマン帝国が支配していた東地中海、バルカン半島、北アフリカにまで影響を広げています。

◉モンゴル高原で最初の帝国をつくった突厥

トルコ民族の原住地は南シベリアのイェニセイ川（156頁の地図）の上流で、「トルコ」の正しい呼び名はチュルクです。中国の史書には「丁零《ていれい》」として登場しますが、それはチュルクの音訳です。彼らの原住地は豊富な鉄鉱石の産出地であり、高い製鉄技術を持つことで知られていました。中国史書に見る「鉄勒《てつろく》」という呼び名はそれによります。

地球の寒冷化に伴いトルコ人は南下して、モンゴル高原に入りました。552年、トルコ人はモンゴル高原の遊牧諸部族を統合して、かつての匈奴帝国をしのぐ規模の大帝国を成立させます。それが**突厥《とっけつ》帝国**（552―744）です。

この突厥もチュルクを漢字で音訳した国名で、トルコを意味しています。突厥に統合された諸部族が共通で使ったのが、シルクロードの商人、ソグド人のソグド語でした。

トルコ人がモンゴル高原を支配するようになると、先に述べたようにモンゴル系の鮮卑《せんぴ》人は南下して、万里の長城の南の大同盆地に北魏《ほくぎ》を建てました。しかし、それは突厥にしてみればとても都合がいいことでした。北魏が調達してくれる中国の物産を、シルクロード商人に売りさばくことができたからです。

つまり、**漢人→華北の北魏→モンゴル高原の突厥→シルクロードのソグド商人**というモノの流れができたわけで、突厥は仲介商業の利益を得ることができたのです。

しかし、突厥が高句麗《こうくり》と組むことを恐れた隋《ずい》の離間工作で、583年、突厥は東西に分離。そのうちの東突厥が有力となり、首長が新しい王号として可汗《かがん》（王）を称するようになります。この称号は、モンゴル帝国に引き継がれていきました。しかし、諸部族の寄せ集めからなる突厥は50年間唐に服属したあと、一時的に帝国を再興したものの、部族の結合を維持できずに衰退していきました。

◉安史の乱をきっかけに唐への影響力を強める

744年、モンゴル高原では突厥に代わり、新たに中央アジア系のトルコ人が西から進出、**ウイグル**（744―840）を建国します。ウイグルの呼称は、その可汗（王）が名乗ったトルコ語の「我、主君なり」に由来します。現在、新疆ウイグル自治区に居住しているウイグル人は、ウイグルの系譜を引くトルコ人です。

ウイグルがモンゴル高原で勢力をのばした時期、唐では府兵《ふへい》制という農民を兵とする制度が崩れ、トルコ系遊牧民を雇って国境の防備を固めるようになりました。

そうした中で、遊牧民の雇い兵の軍団を指揮する**節度使《せつどし》**の力が高まり、最も有力な安禄《あんろく》山《ざん》とその部下の史思明《ししめい》により、**安史《あんし》の乱**（７５５—６３）が起こされます。安禄山はトルコ人とソグド商人の混血でした。杜甫《とほ》の「国破れて山河あり」の詩は、この安史の乱により荒廃した唐の状態を詠んだものです。

モンゴル系の鮮卑人が支配する唐は、自分だけの力では反乱を鎮圧できず、トルコ人の節度使の懐柔《かいじゅう》とウイグルの支援により、ようやく8年間続いた大乱を鎮めました。しかし、それを機に**鮮卑人からトルコ人へと、唐の支配権が移行**していきます。ウイグルも反乱の鎮圧に力を貸すことで唐への影響力を強め、政治に介入しました。以後１５０年間にわたり、トルコ人の節度使が唐の政治を動かしていきます。９６０年に宋《そう》を建国した節度使の趙匡胤《ちょうきょういん》も、トルコ系です。

ウイグルは、ソグド商人と結んで東西貿易に進出し唐の物産を売りさばきましたが、次第にシルクロード商人との関係が深まり、ゾロアスター教、仏教、イスラーム教を融合した中央アジアの国際宗教のマニ教を信仰するようになります。

◉トルコ系のウイグルやキルギスは、なぜ西に向かったのか

9世紀中頃になるとモンゴル高原に天災が続き、西に移動したウイグルは、支配下にあっ

たトルコ系のキルギスに滅ぼされました。なお、部族連合のキルギスは、トルコ語で「40」の意味。理由は簡単で、40の部族の連合体だったからです。

キルギスは商業の利益を求めて西に移動しました。シルクロードのソグド商人との結び付きを強めたキルギス人は、シルクロードに沿って中央アジアに移動。その影響下にあったトルコ系諸部族も移動し、イスラーム世界の西トルキスタンに入ります。

８４０年にそれらのトルコ系諸部族が連合して、**カラ・ハン朝**（９４０頃―１１３２）が建てられ、イスラーム教を国教とします。**この王朝が、トルコ人のイスラーム化と、トルコ人の北インド進出の起点になりました。**強力な遊牧部族が多いモンゴル高原では、トルコ人は安定した勢力基盤を築けず、商業に傾いてモンゴル高原から中央アジアへと移動し、イスラーム圏に中心を移したのです。

◉イスラーム世界と北インドへの進出

カラ・ハン朝は、シルクロードの支配権を握っていたイラン人のサーマーン朝を倒してシルクロードの支配勢力になりました。トルコ人は、パミール高原の東西に広がるシルクロード沿いのオアシスへの大規模な移住を進め、**トルキスタン**（「トルコ人の土地」の意味）

トルコ人の西進

を形成していきます。

ちなみに、パミール高原の西麓のソグド地方を中心とする地域（現ウズベク共和国）が西トルキスタン、タリム盆地（「西域」、現新疆ウイグル自治区）が東トルキスタンです。

東・西トルキスタン──カラ・ハン朝──イスラーム商業圏というように、中央アジアにトルコ人の新たな商業ルートができ上がりました。当時のシルクロードはムスリム商人が支配していましたから、商売を円滑にするために、トルコ人はどんどんイスラーム教へ改宗していきました。商売がらみですから、トルコ人のイスラーム教徒はおおらかで、飲酒もオーケーなのです。

カラ・ハン朝の軍は、アフガニスタンからカイバル峠を通って西北インドの略奪を繰り返すようになります。13世紀になると、インドに侵入したトルコ人がそのままとどまってデリーを中心とする軍事政権（奴隷王朝）を打ち立て、インド人の農民から税を徴収するようになりました。

そうした北インドのトルコ化が、16世紀に**ムガル帝国**（1526—1858）が建設される下地になります。「ムガル」とはモンゴルの意味で、中央アジアでモンゴル帝国の再建を目指したティムール帝国（161頁）の残党が、アフガニスタンから北インドに侵入してつくった帝国です。

◉イスラーム帝国を奪ったセルジューク朝

10世紀になるとイスラーム帝国（アッバース朝）で貧富の差が広がり、不満を持つ貧しい民衆がシーア派に結集して各地で反乱を繰り返すようになります（144頁）。エジプトではシーア派がファーティマ朝を建て、西アジアでもシーア派がバグダードを支配して、カリフをロボット化して操りました。

体制の危機が進行する中で、地位と財産をシーア派から守ろうとする特権層は、シルクロード商人からトルコ人の青年を傭兵（軍事奴隷、**マムルーク**）として買い集め、カリフの近衛軍などに編入しました。マムルークは功績を上げると解放されて地位と名誉が与えられましたから、トルコ人の社会進出が進みます。

そうした情勢の変化に巧みに便乗したのが、トルコ人の一部族、セルジューク部族でした。セルジューク部族は、アラル海の東方（現在のカザフスタン）に移住してスンナ派に改宗すると、イスラーム帝国への軍事進出を目指します。

１０５５年、セルジューク部族を率いる**トゥグリル・ベク**は「カリフの擁護者」と宣伝してバグダードへの無血入城を果たし、スルタン（世俗君主）の称号を獲得しました。トルコ人はスルタンの下で、各地の徴税権をアラブ人から合法的に奪い取り、**アラブ人の帝国（アッバース朝）をトルコ人の王朝（セルジューク朝）に替えることに成功**します。結果、トルコ人とアラブ人、イラン人の混血が進みました。

◉十字軍は、トルコ人の地中海進出を阻止すべく派遣された

セルジューク朝はイスラーム世界を支配した余勢を駆《か》って、東トルコの山岳地帯からカ

ッパドキアへとトルコ半島に進出。ギリシア人のビザンツ帝国は「風前の灯《ともしび》」になりました。その過程で、アナトリア（トルコ半島）のトルコ化が進み、現在のトルコ共和国の土台ができ上がっていきます。

ビザンツ帝国は防衛戦に乗り出しますが、逆にトルコ人に大敗を喫してしまいます。そこでビザンツ皇帝は、ローマ教皇のウルバヌス2世に支援を要請。ウルバヌス2世は、1095年のクレルモン公会議で、イェルサレム奪回の十字軍の派遣を呼びかけました。なぜビザンツ帝国の救援ではなくイェルサレム奪回なのかというと、当時のヨーロッパ人には、上空に「天国への入り口」があると信じられていたイェルサレムはわかっても、ビザンツ帝国についてはチンプンカンプンだったからです。

西洋史では触れられませんが、世界史から見ると、**十字軍は、西アジアを制覇して地中海へ進出したトルコ人に対するキリスト教社会の対応策**だったのです。

あっけなくイスラーム世界の覇者になったトルコ人でしたが、ヒツジが財産だった遊牧民のトルコ人に長子相続の制度がなかったことから権力の継承がうまくいかず、内紛と分裂によりセルジューク朝は四分五裂の状態になってしまいます。

遅れて建国されたアナトリアの**ルーム・セルジューク朝**（「ルーム」はローマの意味）だけ

が、何とかまとまりを維持しました。

13世紀末になると、アナトリアのトルコ人のオスマン部族が**オスマン朝**（1299―1922）を建て、それがオスマン帝国の母体になります。

◉ロシア帝国を支えたコサックもトルコ系遊牧民

モンゴル帝国が100年足らずで分裂・崩壊したのち、**ユーラシアではオスマン帝国、ムガル帝国、清帝国、ロシア帝国の4帝国が分立**するようになります。

そのうち、東地中海のオスマン帝国、インドのムガル帝国はトルコ人が建てた帝国でしたが、14世紀に成立した北の大国ロシアを支えたのもトルコ人のコサックでした。

コサックがロシアのシベリア征服の先頭に立ち、中央アジアの草原地帯へのロシアの進出を可能にしたのです。コサックはトルコ語の「カザーク」に由来し、「自由人」「騎乗者」などの意味になります。

モンゴル帝国がロシアを支配したときに利用したのが、キプチャク草原のトルコ人遊牧民でした。彼らはモンゴル人に従属していましたが、実際には、モンゴル人よりずっと人数が多いトルコ系の諸部族がロシアを支配していたのです。モンゴル帝国の崩壊後、トルコ人の子孫が懐柔《かいじゅう》されてロシア帝国の発展に利用されていきます。

◉北インドへ進出しムガル帝国を樹立する

モンゴル帝国の滅亡後、中央アジアの旧チャガタイ・ウルスにイスラーム系トルコ人の**ティムール**が台頭。ティムールは旧チャガタイ・ウルスのハーンの一族を担《かつ》ぎ、アミール（軍司令官）と称して、「モンゴル帝国の復興」をスローガンに諸部族を統合。数々の征服戦争に勝利して大領域を支配しました。それが**ティムール帝国**（１３７０―１５０７）です。

１４０５年、ティムールはユーラシアの東部の大勢力、明《みん》の永楽帝《えいらくてい》に決戦を挑みます。20万の軍を率いて遠征を始めたのですが、高齢のために自力でウマに乗れないほど体力が衰えており、自領を出ないうちに高熱を出して世を去りました。

その後、遊牧諸部族が離反したため帝国は一挙に衰え、１５０７年に南下してきたトルコ系の**ウズベク族**に滅ぼされてしまいます。

そうした中で帝国の残党はアフガニスタンに逃れ、そこからカイバル峠を越えて北インドに進出。中央アジアの騎馬軍団の強力な軍事力により、はるかに数が多いインドの軍隊を撃破し、ヒンドゥー教徒のインド人を一神教のイスラーム教徒のトルコ人が支配するムガル帝国を樹立します。17世紀末になると、南インドを除くインド全土にムガル帝国が広がりました。

ムガル帝国は典型的な征服王朝で、トルコ人には「どれだけの兵を持っているか」を基準に俸給が与えられました。なお、ペルシア語が公用語にされましたが、これはササン朝以来、ペルシア文化が中央アジアのトルコ人の間に浸透していたためです。

◉ビザンツ帝国を滅ぼし、オスマン帝国を建国

アナトリア（トルコ半島）のオスマン朝は、ティムール帝国の力が強大だったために東方には勢力を伸ばせず、衰退期に入っていたビザンツ帝国の混乱を利用して、東地中海に進出。１４５３年に、何重もの堅固な城壁で守られた城塞都市のコンスタンティノープルを陥落させて、ビザンツ帝国を滅ぼしました。

コンスタンティノープルは、アジアとヨーロッパ、エジプトとトルコを結ぶ「経済の十字路」でしたから、オスマン朝は都市名を「イスタンブール」と改め、首都としてそのまま利用します。

東地中海のトルコ人の数が少ないこともあって、トルコ人は民族性を前面に出さず、ト

ルコ語を話すイスラーム教徒を「オスマン人」として、多民族を緩く統合する普遍国家を目指しました。キリスト教徒、ユダヤ教徒は「ミッレト」と呼ばれる宗教共同体に組織され、納税を条件に信仰が認められていきます。

軍人と役人については、かつてのイスラーム世界でのマムルークの制度を手本として、バルカン半島の貧しいキリスト教徒の子弟が利用されました。オスマン朝は税の代わりとして、白人のキリスト教徒の子弟を集め、イスラーム教育を施して、体力のある者を兵士として**イェニチェリ**（「新しい軍隊」の意味）に配属させ、他は官僚として利用しました。

オスマン帝国の軍隊「イェニチェリ」。キリスト教徒の子弟を改宗させて編入していった。

彼らは、スルタンに恩義を感じて忠誠を尽くしましたから、かつてのビザンツ社会を分断するのにも役立ちました。当時は**すでに銃と大砲が主要な武器になっていましたから、兵士が遊牧民である必要はなかった**のです。

そうした中でオスマン帝国は、北アフリカ、西地中海に領土を拡大し、アジア・アフリカ・ヨーロッパの3大陸に領域を拡大。ヨーロッパを圧倒する勢力に成長したのです。

●帝国を解体し〝トルコ人の国〟をつくろうとするが…

19世紀に入ると、エジプトの離反、ギリシアの独立、バルカン半島のスラブ人の民族運動などによりオスマン帝国の衰退が進みます。そうした中、クーデターで帝国の実権を握った**青年トルコ**の指導者**エンヴェル・パシャ**は「汎《はん》トルコ主義」を掲げ、多民族からなるオスマン帝国を解体して、トルコ人の帝国としての再編を目指しました。

エンヴェル・パシャ

これまで述べてきたように、トルコ人はモンゴル高原から西に移動し、中央アジアの広い地域に分住していました。しかし、ロシア帝国が南下政策を進めると、多くのトルコ人がロシア帝国の支配下に入ってしまいます。そこで、ロシアを破ることが必要になるのですが、そんな折、日露戦争が勃発、小国の日本がロシアに勝利します。

それに励まされたオスマン帝国は、第一次世界大戦でドイツ帝国と同盟してロシア帝国と戦いますが、敗北。オスマン帝国は解体され、アラブ人の居住地域は**サイクス・ピコ協定**により、イギリス、フランスに奪われてしまいました。

第一次世界大戦後、トルコの民族主義者**ケマル・パシャ**（アタチュルク）は、「スルタン」と「カリフ」を廃止し、トルコを共和国に変えました。彼はアジアにあって唯一独立を維持し、ロシアを破った明治政府を手本にしたとされます。

イラク北部、トルコ南西部、イラン北西部の「クルディスタン（「クルド人の土地」の意味）」に住む約３０００万人の遊牧民の**クルド人**は「国を持たない最大の民族」といわれます。イギリス・フランスは、このクルド人をトルコに住まわせようとしましたが、ケマル・パシャは断固拒否。「トルコ共和国はトルコ民族の国である」と主張して、領域内にいたクルド人など諸民族の強引なトルコ化を図り、トルコ語以外の言葉の使用を禁止しました。そうした強引なトルコ化に対して、クルド人の激しい民族運動が起こり、現在に至るまで継続しています。

第二次世界大戦後、滅亡したオスマン帝国の大領域には三十余の新興国が成立していますが、いまだに不安定な状態にあります。オスマン帝国が滅亡してから約１００年が経っていますが、それに代わる中近東の新たな秩序ができていないのが現状なのです。

❽満洲人——ラッキーの連続で、東アジア最大の清帝国を打ち立てた

◉現在は中国化が進む満洲人

現在は人口が1000万人程度になってしまった満洲人ですが、かつてはモンゴル人とともに中国に進出し、12世紀に**金**《きん》（1115―1234）、17世紀に**清**《しん》（1616―1912）という帝国を建てた民族でした。

特に清帝国は、東アジアでは、モンゴル人の元《げん》を超える帝国として250年以上持続し、その大領域は現在の中国に引き継がれています。

モンゴル人、トルコ人に比べると知名度は低いのですが、満洲人はやはり世界史を動かした大民族だといえます。地理的に満洲人は朝鮮半島とのつながりが深く、高句麗《こうくり》、高麗《こうらい》などの王朝を建て、大和王朝と交易関係があった渤海《ぼっかい》も建設しています。

ツングース系の満洲人は、かつての中国では「女真《じょしん》」（満洲語のジュルチンの音訳。明では女直《じょちょく》）と呼ばれましたが、ジュルチンは「民衆」の意味になります。漢人が「あんたたちは何者か?」と聞いたときに、彼らが「ジュルチン」と答えたことから、それが呼び名に

なったとされています。

それに対して「満洲（マンジュ）」は17世紀の呼び名で、「文殊《もんじゅ》菩薩《ぼさつ》（サンスクリット語でマンジュシュリー）」に由来するなどの説があり、定かではありません。ただ、「洲」はさんずいが正しく、「清」とともに五行説で「火」の要素からなる明帝国に打ち勝つという意味が込められているといわれます。こうした民族名が地名の満州、英語のマンチュリアの語源になっています。

満州は結構、雨が降りましたから大部分が毛皮獣の繁殖する森林地帯でした。そのため、満洲人は毛皮獣を狩ったり、砂金を集めたりして売買しましたが、粗放農業、牧畜も行なっていました。彼らは、古来「ブタを飼う人たち」として知られていましたから、遊牧民とは言えません。ブタは反芻《はんすう》ができませんので、草原では飼えなかったからです。

満洲人は、**朝鮮半島——遊牧民のモンゴル高原——中国**をつなぐ商業で栄えました。

◉華北を占領し南宋に貢がせた、満洲人の金

騎馬遊牧民のモンゴル人に比べると狩猟民の満洲人の軍事力は弱く、モンゴル人に臣従せざるを得ませんでした。ところがたまにチャンスが訪れると、帝国の建設に成功します。

まさに「運も実力」を地でいったわけです。自分たちの実力がわかっていましたから、チャンスは逃さなかったのです。

モンゴル人のところで述べましたが、遼《りょう》を建てたキタイ人は、満州と関わりが強い民族でした。彼らが建てた「遼」は、満州を流れる「遼河」に由来しています。キタイ人は先に述べたように商業に熱心で、北モンゴルに都市を建ててシルクロード商人と盛んに交易していました。

遼は宋に毎年多額の銀と絹を貢がせ（138頁）、支配していた女真《じょしん》人から砂金と毛皮を取り立てて、シルクロード商人に売り渡していたのです。

そうした中で、女真人は満州の諸部族を統一して、１１１５年に金を建国。遼に圧迫されていた宋と連携して、商業活動で軟弱になっていた遼を倒します。商業に傾いていた遼は、中央アジアに本拠を移していきます（西遼、カラ・キタイ）。

金にとっては、支配がしにくく収益が見込めないモンゴル高原は無用の長物です。そこで遼を破った金軍は、万里の長城を越えて宋に侵入し、首都の開封《かいほう》を占領。３０００人の王族・貴族を北に連行して宋を滅ぼし（靖康《せいこう》の変。１１２６〜２７年）、首都を含む華北を支配下に置きました（141頁の地図）。

宋の皇帝の一族が江南の杭《こう》州を都とする**南宋**（1127—1279）を建てて、何とか中国人の王朝が維持されますが、金はその存在を認める代わりに、自らを主君、南宋を臣下とする和平条約を結ばせて「中華」と「夷狄《いてき》」の関係を逆転させ、毎年莫大な額の貢ぎ物を取り立てるのに成功します。

軍事面ではモンゴル人が強いのがわかっていますから、金はモンゴル人の部族を互いに争わせる政策をとりました。しかし、チンギス・ハーンがモンゴル高原の諸部族を統一すると、万事休す。満洲人は、モンゴル人に従属せざるを得なくなります。

◉分裂したモンゴル民族を利用して、清を建国

元帝国の滅亡後にモンゴル高原に撤収《てっしゅう》したモンゴル人は分裂し、モンゴル人の満州への圧力が弱まります。そんな中、満洲人は、シベリアでとれる黒テンの毛皮を明《みん》に販売、モンゴル高原と朝鮮半島との商業で力を蓄えました。

元を倒した漢人の国・明は、ひと言で言えば、内向きの農業帝国でした。元の時代の国際商業が遊牧民の主導下にあったことを嫌って、伝統的な朝貢《ちょうこう》貿易を復活させ、民間商人の対外貿易を禁止する海禁政策（一種の鎖国政策）をとります。

しかし、明をとりまく時代の風潮は国際化に傾いていました。大航海時代の波が東アジアに及び、新大陸で産出された安価な銀がフィリピンのマニラ経由の密貿易により明に流入。ポルトガル人がもたらす銀、日本の石見《いわみ》銀山の銀も出回って、東アジア商業は空前の活況を迎えていたのです。

明は沿岸部に膨大な軍隊を配備して、密貿易を取り締まろうとしますが、時代の波に逆行することはできませんでした。

かてて加えて、日本を統合した豊臣秀吉の朝鮮出兵（１５９２—９８）に対抗する朝鮮半島への派兵、勢力を復活させたモンゴル人を食い止めるための巨大な万里の長城の建設（現存するレンガ造りの万里の長城は明の時代に建てられた）などで巨額の出費を迫られ、多くの付加税を農民に課さざるを得なくなりました。

そうした中で、「満洲人のチンギス・ハーン」ともいうべき**ヌルハチ**がツングース系の諸部族を統一し、**後金**《こうきん》（１６１６—３６）を建国。建国の3年後には1万人にも満たない勢力で、8万人を超す明軍を破りました（サルフの戦い）。後金は、満洲系の狩猟民・農業民・遊牧民を結ぶ商業の拠点・瀋陽《しんよう》に新しい都を設けます。

新たな大帝国を建設する準備が整ったそのとき、思いがけないチャンスが巡ってきまし

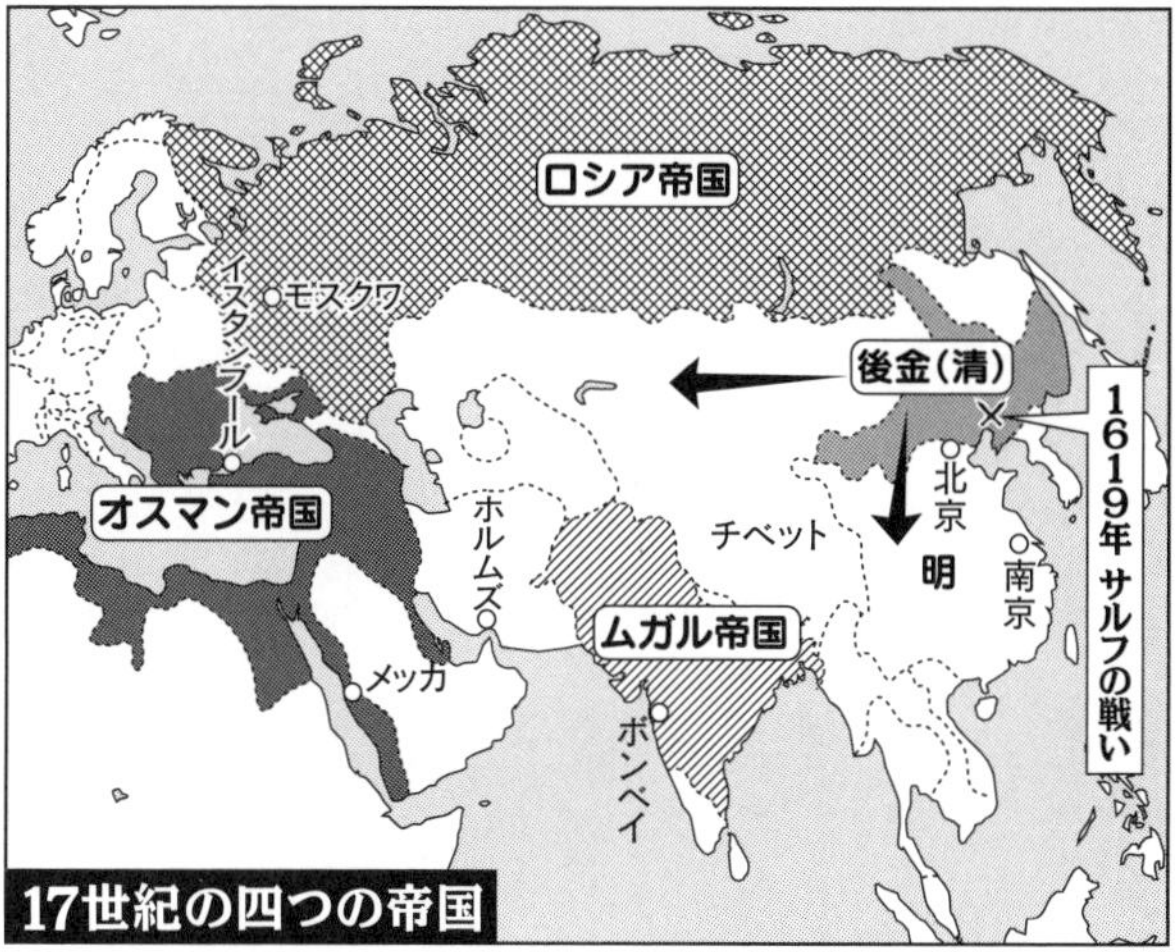

17世紀の四つの帝国

た。目の上のタンコブだった、モンゴル人の分裂です。

満洲人の統一に対抗するために、モンゴル人のチャハル部族の族長**リンダン・ハーン**がそれまでの緩やかな部族の連合を強引に独裁体制に切り替えようとしたのですが、それに反対するモンゴル人の一部が満洲人との同盟に動いたのです。

リンダン・ハーンが世を去ると、遺児のエジェイが満洲人に下り、かつての元の玉璽《ぎょくじ》（皇帝であることを示す印章）と護神像を満洲人に差し出しました。そこで、ヌルハチの子の**ホンタイジ**は、チンギス・ハーンの後継者を名乗ることになります。

1636年、ホンタイジは、満洲人、モンゴル人、高麗系漢人を集めて大会議を開き、皇帝として即位。**女真という民族名を満洲に改めました。**満洲人は、最初のビッグ・ウェーブにうまく乗れたのです。

満洲人が勢力を拡大するには、勇猛なモンゴル人を取り込むことが必要でした。そこで、満洲人は積極的に「八旗」という満洲人の軍団にモンゴル人を取り込み、能力に応じて抜《ばっ》擢《てき》しました。清の歴代皇帝の全てが、満洲語の他にモンゴル語、中国語の名を持ったという事実は、満洲人が建てた清という王朝の性格をよく物語っています。

ちなみにホンタイジの５人の皇后は、全てモンゴル人でした。モンゴル人をどう取り込むかが、満洲人にとっての大きな課題だったのです。

◉明の自滅という最大のチャンスが到来！

次の大きなウェーブは、明の滅亡により起こりました。満洲人の真の目標は、モンゴル人と組んで大穀倉地帯の明をどう倒すかだったのです。

ところが、明が勝手に自滅するというビッグ・チャンスが巡ってきます。民族も、個人の人生と同じで、ツイているときには次々に好ましい状況が巡ってくるものです。運が８割とも言えます。良い運（変化を起こす条件の組み合わせ）を得ることが民族の勃興には重要ですが、これは逆に、衰亡の場合にも同じことが言えます。

先に述べたように、明では危機に陥った財政を維持するために多くの付加税が農民に課されたのですが（170頁）、それにより生活が破綻した農民の大反乱（李自成《りじせい》の乱）が広がりました。反乱軍は各地を転戦したのち、１６４４年に北京に侵入。宮殿を占拠されて最後の皇帝が首を吊り、明は滅亡しました。そうした状況の下で、第三のラッキーがやってきます。

満洲軍と万里の長城の山海関で対峙していた明の将軍・呉三桂《ごさんけい》が、農民反乱軍を鎮圧するための支援を求めてきたのです。これ以上ない展開ですね。

満洲軍はただちに動きました。呉三桂の軍とともに農民反乱軍を倒して、北京の宮廷を回復すると、そのまま北京に居座ってしまいます。当時の満洲人の人口は百数十万人で、中国の人口の1割にも満たなかったのですから、運に恵まれたと言うしかありません。

◉弁髪の強制と中国文明の尊重は満洲人の「弱さ」の表れ

中国に進出した満洲人には、漢人に対して自分たちが支配民族であることを思い知らせる必要がありました。そこで満洲人は**弁髪令《べんぱつれい》を出し、漢人、モンゴル人などの全てに、弁**

弁髪スタイルの清の芸人を描いたイラスト。満洲人に強要された弁髪だが、19世紀には中国に完全に普及し、諸外国からも「中国的な風習」と見なされていた。

髪を強要します。弁髪とは、男性が後頭部の髪だけを残して剃《そ》り上げ、残った髪を長く編んでおさげにするツングース系狩猟民の髪型でした。

その髪型は、広大な地域を満洲化するための手段ですから情け容赦なく行なわれ、従わない者の首は切り落とされました。「ボスは自分たちだ」と見せつけたのですね。しかし、それは満洲人の強さの表れではなく、彼らが自分たちの非力を自覚していたためだったのです。

彼らは、自らが広大な領域を支配するには、モンゴル人と漢人を巧みに操ることが必要なことをよく知っていましたから、元がかつて行なったような高圧的な支配はとてもできず、儒教をはじめとする漢人文化を尊重しました。

第4代の康熙帝《こうきてい》が「中国史上最高の学者皇帝」と言われたように、清の初期の皇帝はいずれも中国文明を熱心に学び、中央官庁では要職を満洲人と漢人が半分ずつ分け合う「満漢偶数官制」がとられました。短命に終わった元の支配の失敗を繰り返さないために、細心の注意が払われたのです。

それは漢人の知識人層を懐柔するというだけではなく、漢人社会に精通した漢人官僚にそつのない統治をさせるためでもありました。しかし、要所を満洲人が抑えたことは言うまでもありません。

中国に移住してきた満洲人は「八旗」という軍事共同体（172頁）に組織されて、軍人としての報酬が与えられただけでなく、北京や任地に土地を与えられて特権層に成り上がりました。

北京には胡同《フートン》という同じサイズの趣《おもむき》のある住宅街がありますが、それは移住した満洲人に与えられた住宅に起源があります。首都の北京が満洲人による支配の拠点になり、北京から18か所の要地に八旗軍が派遣されたのです。

◉モンゴル人と遊牧諸族を懐柔して260年も支配する

満洲人が中国を安定して支配するには、モンゴル人など諸部族が清の支配に介入しないようにすることも肝要でした。清の皇帝は、モンゴル人の貴族に、満洲人の貴族と同じ地位と年俸を与え、結婚政策によりモンゴル人との同盟関係を強化しました。その結果、モンゴル人と満洲人の貴族層の混血が進みます。

先に述べた康熙帝は猛勉強をして漢文に精通しただけではなく、モンゴル語も話したといわれます。創業期の満洲人の皇帝は、とても大変だったわけです。清では、モンゴル人の遊牧社会も満洲人の八旗にならって再編され、幹部には満洲人の貴族と同じ爵位が与えられました。ただ満洲人は、**モンゴル社会の内部には立ち入らず、部族の自治を守ることが、モンゴル人との関係の大原則**になりました。

その後、１６３８年には「理藩院《りはんいん》」が設けられ、遊牧民は藩部（満洲人の拠点の中国本土を除く遊牧地域）として一括支配されることになりました。

そこでも、モンゴル人に対してとっていたのと同様に、全ての部族の自治が尊重されました。北モンゴル、青海、チベット、新疆《しんきょう》（タリム盆地とその周辺の地域。現在の中国の国土面積の6分の1）が加わっても、全ての部族の自治は守られたのです。

つまり理藩院から各部族に派遣された役人の数がとても少なく、言葉も宗教も違う部族の動向を監視するのが精いっぱいだったのです。清の貴族と各部族の長は同格に扱われ、同君連合のかたちが守られました。満洲人にとっては中国から食糧と税を取るのが最大の目的でしたから、遊牧部族については、自分たちの権益を脅《おびや》かさないように監視することに主眼が置かれたわけです。

それぞれの部族長にとっても、清の権威と軍事力を背景にすれば支配が容易になりますから、互いにメリットがありました。

自民族の力の限界を自覚していた満洲人は、巧みに既存の秩序を組み合わせて、２６０年に及ぶ間、元をもしのぐ大領域を維持したわけです。

◉清帝国が、イギリスの進出に対抗できなかったわけ

栄華を誇った清帝国ですが、インドのヒンドゥー教徒とイスラーム教徒の対立という大きな弱点を抱えていたムガル帝国とともに、19世紀前半にイギリス人の手で急激に崩されていきます。いったいなぜなのでしょうか。

帝国の形成期には、満洲人の力が弱いことが自覚されており、細心の注意を払わなければ帝国を維持できないことがよく理解されていましたが、次第に慢心するようになって緊張感が失われ、支配層は贅沢にふけるようになります。統治は漢人官僚に任せ、自分たちはもっぱら享楽的生活にふけるようになったのです。そうなると、もう終わりです。

例えば、ロシア人が北太平洋、ベーリング海で最高級の毛皮獣であるラッコを捕獲し、その毛皮を世界に売ったのですが、その大部分を競って買い漁ったのが清朝の貴族でした。また、銀不足で必需品の紅茶の購入代金が捻出できなくなったイギリス東インド会社が、地方商人に持ち込ませたアヘン（麻薬）に真っ先に飛びついたのも、暇を持て余した満洲人の貴族でした。

その結果、１８３０年代に入ると、膨大な量の銀が海外に流出するようになります。国内の銀価が2倍にまで高騰し、商人に穀物を売り、銀を買って納税していた（地丁銀《ちていぎん》という税制による）農民は、実質的な増税で生活がなりたたなくなり、農民反乱や減租・減税を求める農民の動きが強まって、社会が騒然としてきます。

それに危機意識を感じた第8代の道光帝《どうこうてい》はアヘン輸入の厳禁を役人に命じましたが、役人はアヘン商人からワイロを取って見逃してしまいます。アヘン貿易が、役人の大きな収入源になっていたのです。

そこで皇帝は、アヘン厳禁派の林則徐《りんそくじょ》を特命の大臣として広洲に派遣してアヘンを没収、アヘン貿易を禁止するという非常手段を取るのですが、それに反発したイギリスが「自由貿易を守る」という口実の下に、**アヘン戦争**（１８４０—４２）を起こします。

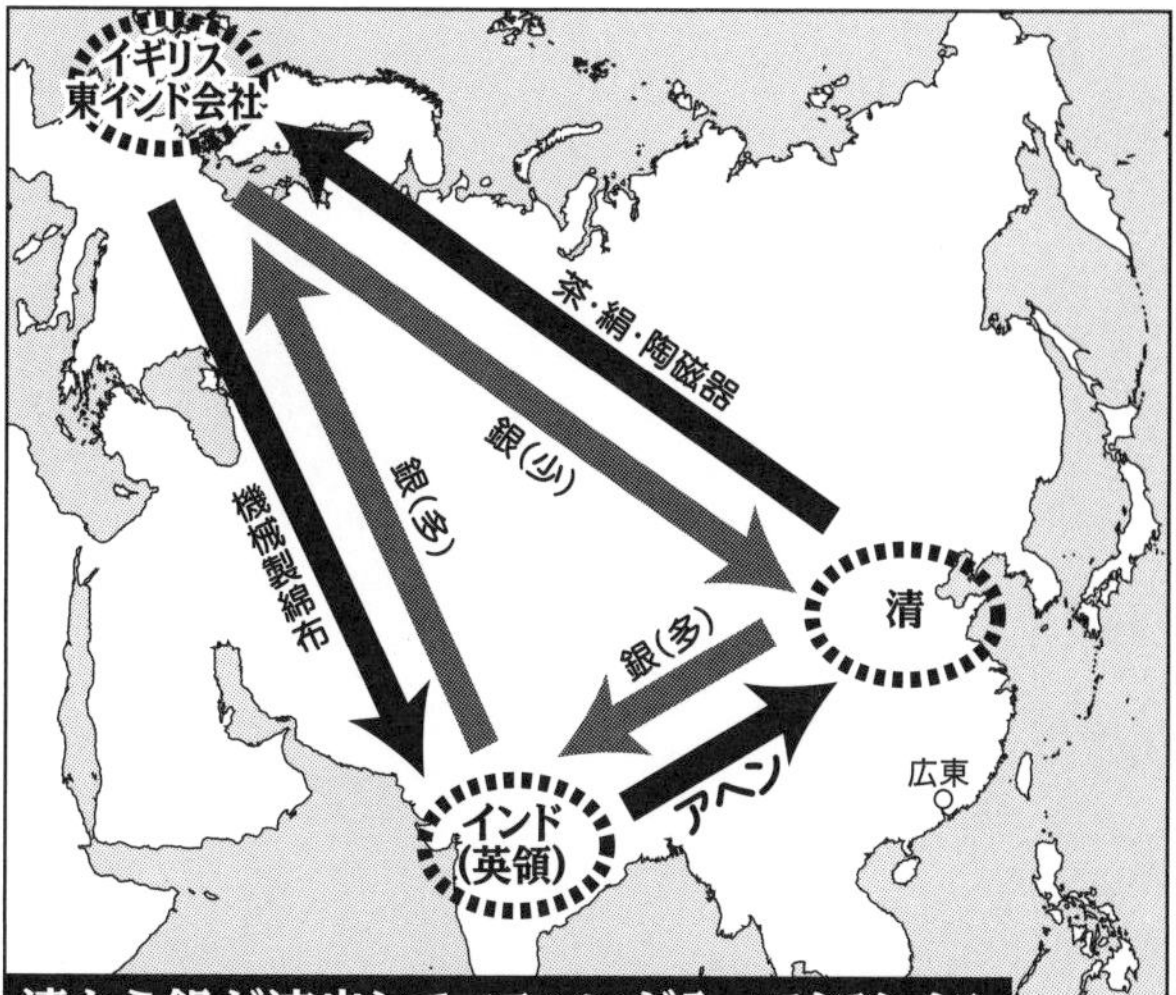

清から銀が流出して、アヘンが入ってくるしくみ

戦争に勝利したイギリスは「アヘンは商品である」として没収されたアヘンの代金を清に支払わせ、アヘン貿易を公認させます。そのため、大量のアヘンが国内に流入することになり、農民の窮乏化がさらに進みました。

つまり、モンゴル高原の遊牧民と中国の農業世界の関係を熟知し、巧妙に大帝国を建設・維持してきた**満洲人は、自由貿易を掲げたイギリスの侵略のやり方を理解できず、お手上げになってしまった**のです。

やがて辺境の広西省《こうせいしょう》で起こった農民反乱が流民化し、農民反乱軍が長江流域を南下して南京を占領（太平天国《たいへいてんごく》）。**北の清朝と南の太平天国に中国が二分**されます。それが、中国という大農業社会の衰亡の始まりでした。

中国を虎視《こし》眈々《たんたん》と狙うイギリスが、分裂状態を見過ごすわけがありません。フランスを誘って**アロー戦争**（１８５６―６０）を起こし、清をヨーロッパを中心とする自由貿易体制、国民国家秩序の中に組み込み、清帝国を半身不随の状態に陥れます。

中国はなし崩し的に、儒教による漢人官僚の支配体制に移行していきますが、漢人の中華思想も、当時の世界状況への適応能力に欠けていました。

その間隙を突いて、今度はロシアが清に満洲の黒竜江（アムール川）流域、沿海洲の割《かつ》譲《じょう》を迫ります。それに対して清は、それまでやってきた遊牧民に対する対処法で対応し、それらの広大な地域をロシアに割譲することで懐柔《かいじゅう》しようとしました。

仕方がないことかもしれませんが、満洲人の現実対応力の欠如が、危機を拡大させたわけです。安楽な生活を送ってきたツケが回り、清は急激に転換する世界変化に全く対応できなかったのです。

そうしたことはいつでも起こり得ます。「他山の石」として学ばなければならないことでしょう。当然のことなのですが、支配層の視野の広さと判断力が民族の運命を決することになるのです。

第三の舞台

第六章

軍事と商業でグローバル化を進展させた2大民族

ゲルマン人、ユダヤ人

地表の7割を占める「海」から「大陸」を支配する時代へ

◉第一の舞台、第二の舞台は狭すぎた

19世紀から20世紀は**❾ゲルマン人**の時代です。と言うと「え！　なぜ？」と思われるかもしれません。

実は、ゲルマン人は大きな民族の枠組みで、ノルマン人（ヴァイキング）もその中に含まれ、19世紀に世界の5分の1（人口でいえば4分の1）を支配したアングロ・サクソン人がノルマン人に含まれるためです。そのように考えると、19世紀から20世紀の時代は、北ヨーロッパのゲルマン人の覇権時代ということになります。

しかし、**19世紀後半のアングロ・サクソン人の覇権は短期間**しか続きませんでした。1870年代の第二次産業革命で急激に重工業を成長させたドイツが挑戦者として名乗りを上げ、イギリスとドイツの間に二つの世界大戦が戦われるようになり、ヨーロッパは20世紀の中頃には没落していきます。

その後、イギリス移民（WASP＝白人、アングロ・サクソン、ピューリタン）とドイツ移

民（アメリカ移民の3分の1を占める）が成長させた「ゲルマン民族の出城《でじろ》」のアメリカ合衆国に覇権が移りました。現在の世界語である英語は、19世紀から20世紀に覇権のバトン・タッチを行なったゲルマン系の言語なのです。

ただ21世紀になると、ユーラシアの主要な帝国の一つだった清《しん》帝国を引き継ぐ中国が、ゲルマン民族の覇権にチャレンジするという新たな状況に変わってきています。

21世紀を戯画的に表現すると、ヴァイキングがユーラシアの遊牧民の影響を色濃く受けた民族と覇権を争う時代ということになります。

今の中国は、19世紀のアメリカの戦略家マハンの思想を受け入れ、「海を制する者が世界を制す」という発想からシー・パワーの強化に努め、世界を制覇するような意気込みを持つようになった内陸国です。

ここで改めて地球儀で、太平洋からインド洋、大西洋へと続く「海」から世界を眺め直してみると、文明の誕生以後のメソポタミア、エジプトを中心とする世界（第一の舞台）、遊牧民族が興亡を繰り返したユーラシア（第二の舞台）が、極めて狭い世界だったことに驚かされます。**遊牧民と農業民が攻防を繰り返してきたユーラシアは、地表のわずか1割程度にすぎない**のです。

ヨーロッパ勢力が一挙に世界を変えることができたのは、遊牧民と農業民が穀物と領地を巡って争っている間に、「新しい地球観」を踏まえた地球秩序を構築できたからでした。

◉「海」を利用して世界へ踊り出たヴァイキング

現代は「第二の大航海時代」ともいうべき、インターネットによる空間革命の時代といえます。しかし、テクノロジーで維持されるインターネットは、必ずしも世界の歴史が蓄積してきた知恵を踏まえたシステムではなく、危うい側面をたくさん持っています。今後、多くの難題に直面することが予測されますが、ひとまず言えることは、急《せ》き立てられるような先陣争いを客観視することでしょう。

話を元に戻します。地表を、海と陸を合わせてほぼ同面積になる次の(Ⅰ)〜(Ⅲ)の空間に分けて、考えを進めましょう。

(Ⅰ)ユーラシア、アフリカ、インド洋／(Ⅱ)大西洋、南・北アメリカ／(Ⅲ)太平洋

大航海時代より前、世界の歴史の舞台は(Ⅰ)に集中していたのですが、１４９０年代にコ

ロンブスやヴァスコ・ダ・ガマなどの航海士により「海の世界」が開発されたことで、(Ⅱ)の南・北アメリカへの進出が始まり、1520年代のマゼラン艦隊の世界周航で(Ⅲ)が〝発見〟されました。そうして、(Ⅰ)(Ⅱ)(Ⅲ)の配置が明らかになっていくことで地球世界のイメージができ上がり、ヨーロッパで共有されるようになります。

その時期にユーラシアでは、オスマン帝国、ムガル帝国、ロシア帝国、清帝国の4大帝国が、相変わらず軍事中心の支配と抗争を繰り返していたのです。

さらに船乗りたちの勇敢な航海により、アフリカ最南端の喜望峰《きぼうほう》、南アメリカ最南端のホーン岬が発見されて大西洋とインド洋、太平洋がひとつながりになり、海の世界が完結していきます。

いつの間にか時代が変わり、地球を大きくつなぐネットワークをどう活用できるかが、民族の興亡を決することになります。そこで新たに登場したのが、食糧が欠乏する寒冷な北ヨーロッパで、海に救いを求めて航海を積み重ねてきた貧しいヴァイキング、すなわちノルマン人だったのです。

なお、第三の舞台では、地球規模のネットワークを利用することで一大勢力となる**⑩ユダヤ人**も取り上げます。

❾ゲルマン人――寒冷な「海」から大西洋へ出て、地球規模の覇権を握った

◉寒さゆえに、商業と略奪を生業としたヴァイキング

先に述べたように、ゲルマン民族はドイツ系諸族とノルマン人に大別できます。本書は、10大民族という大きな括《くく》りになっていますから、少し大雑把《おおざっぱ》すぎるかもしれませんが、ドイツ系諸族の**ゲルマン人**と**ノルマン人**を同一グループとして扱います。

北ヨーロッパのスカンジナビア半島、バルト海周辺に居住する北方系のゲルマン人は、ヴァイキングと呼ばれました。彼らは氷河が侵食したフィヨルド（「ヴィーク」と呼ばれていた）の奥に住み着いていましたので「ヴィークの人々」という意味で、ヴァイキングと呼ばれたのです。「北方に居住する人たち（ノース・マン）」の意味で、ノルマン人と呼ばれることもありました。

ヴァイキングというと海賊のイメージが強いのですが、基本的に彼らは農民でした。ただ非常に寒い土地でしたから生活が不安定で、海とそれにつながる諸河川を利用する商業と軍事ビジネス（掠奪《りゃくだつ》）も生活の糧《かて》となっていたのです。

彼らの中で、最初に世界史に登場するのは、バルト海の一番奥で生活する**スウェーデン系のヴァイキング**です。古代からバルト海の特産品は琥珀《こはく》でした。浅いバルト海の海底に堆積《たいせき》する琥珀松のヤニが化石になったのが琥珀ですが、海が荒れると岸辺に大量に打ち上げられました。そうした琥珀は特産品として多くの川を下り、地中海、西アジアに大量に運ばれたのです。

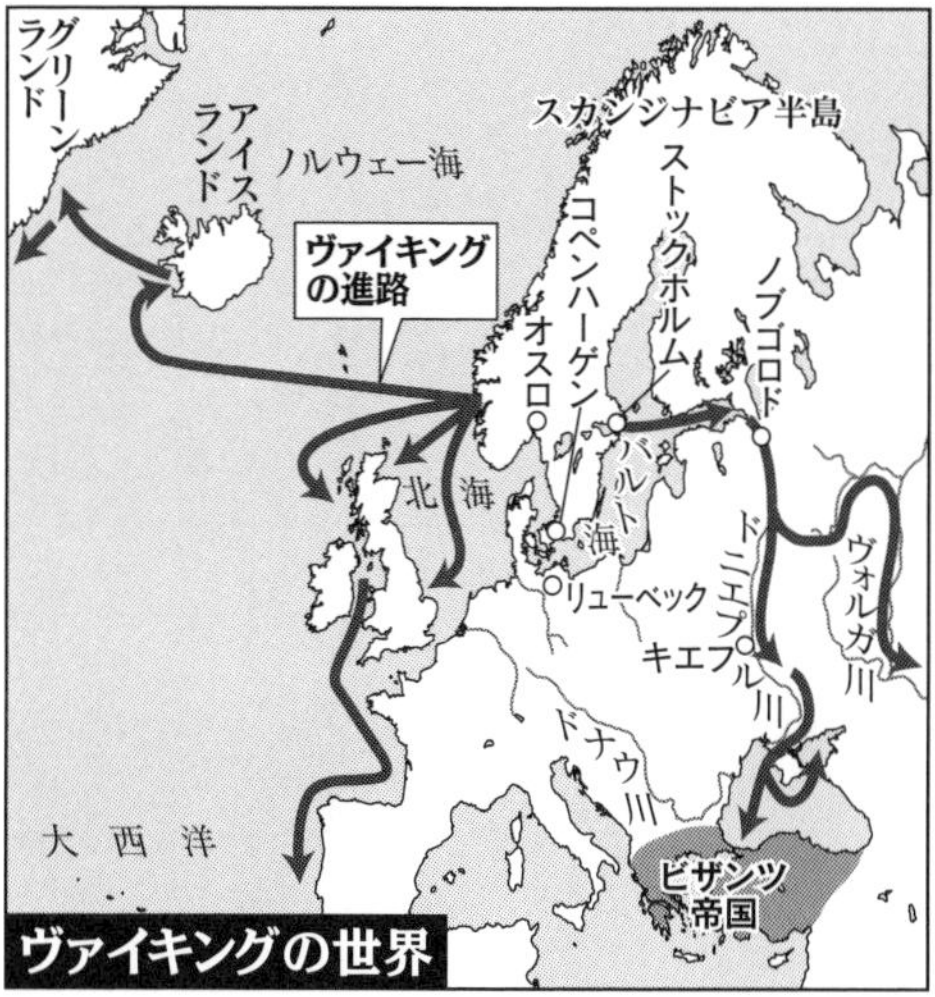

ヴァイキングの世界

以前、偶然にアテネのアゴラの博物館で琥珀の展覧会を見たのですが、おびただしい数の琥珀が展示されていて驚きました。琥珀はギリシアでは「太陽の輝き」の意味でエレクトロンと呼ばれ、静電気を帯《お》びやすい性質を持つために長きにわたって珍重されたのです。ちなみに、電気（electricity）の語源はこの琥珀です。

スウェーデン系ヴァイキングが「琥珀の道」

を「毛皮の道」として蘇《よみがえ》らせたのは、9世紀のこと。当時、最も富裕だったイスラーム世界で最高の贅沢品とされたのが、ロシアの森林地帯で獲られたクロテン、リス、キツネなどの野生動物の毛皮でした。当時、絹は西アジアやビザンツ帝国で生産されるようになって、珍しくなくなっていたのです。

ロシアの森林地帯―ロシアの諸河川―カスピ海の北岸―バグダードというように、ユーラシアを南北に結ぶ毛皮ルートが栄えます（100〜101頁の地図）。

ところが、砂漠にはめっぽう強いムスリム商人は毛皮獣のいる森林が怖かったのです。確かに森は薄暗くて気味が悪いですね。そこで、バルト海のスウェーデン系ヴァイキングの出番になりました。

ロシアは冬の大量の降雪、氷河が侵食した平坦な平原が組み合わされて、ゆったりと流れる大河とその支流が、バルト海、カスピ海、黒海を結ぶ「川の国」です。したがって喫《きっ》水線《すいせん》の浅い川船でバルト海からロシアに入り、毛皮や蜂蜜をスラブ人から買い集めてカスピ海に運ぶことは、難しいことではありませんでした。

毛皮を買い集めるスウェーデン・ヴァイキングは、スラブ人たちから「船を漕《こ》ぐ人たち」の意味で「ルーシー」「ルス」と呼ばれました。それが「ロシア」という国名の由来になります。

スウェーデン系ヴァイキングは、カスピ海の北岸で毛皮を必要な商品に替えましたが、残りはソグド地方の銀貨（当時はシルクロードの商人も毛皮取引に参加していたのです）を持ち帰って秤量《ひょうりょう》貨幣として使用しました。それが、バルト海周辺のヴァイキングの墓から何十万枚も出土しています。

スウェーデン系ヴァイキングは、9世紀に北の毛皮の集散都市ノブゴロドを建て、12世紀になるとウクライナに**キエフ公国**を建てました。それが現在のロシアの起源になったとされています。

ちなみに、ロシア帝国は、17世紀初めに成立した**ロマノフ朝**（1613—1917）により大国化しました。17世紀に60年余りで広大なシベリアが征服され、ユーラシア帝国に変わっていきます。

◉オランダはニシンの塩漬けで大海運国になった

大航海時代が一段落し、新大陸からの大量の銀の流入が減少した17世紀以降、北海周辺のノルマン人が大活躍する時代が始まります。ヴァイキングの航海技術を生かして、その末裔のオランダ人、アングロ・サクソン人が広域の海洋商業を発達させて、寒冷な気候が生み出す貧しさを克服していくのです。

海洋世界を興隆させたポルトガル、オランダ、イギリスなどはみな小国で、先に述べたユーラシアの農業民、遊牧民とは規模が違っていました。

つまり、それら**海の民族は、海の広域商業で、プランテーション（商品作物を大量に栽培する大農場）とヨーロッパとを結び付ける経済のしくみを考え出し、大西洋とその先の新大陸を活用した**のです。

それは、ユーラシアの遊牧民が優位に立った軍事社会が、商業民が優位に立つ経済社会に変わったことを意味しました。船による商品の大量輸送が、商業民のパワーを圧倒的に強めたと言えます。

そうした新しい時代の先鞭《せんべん》をつけたのが、バルト海でドイツ商人が組織した**ハンザ同盟**を引き継いだオランダ人でした。オランダは、ライン川の下流の低湿地に位置する、国土面積の4分の1が海面下という小国（日本の九州と同程度の国土面積）です。

ハンザ同盟の中心になったバルト海の都市リューベック（187頁の地図）は、バルト海に産卵に押し寄せる大量のニシンを塩漬けにして樽《たる》に詰め、ヨーロッパ各地に売りに出して経済成長を遂げました。

キリスト教世界では、イエスの苦難の生活を偲《しの》んで復活祭（イースター）の前の40日の間、肉を断ったのですが（四旬節《しじゅんせつ》）、その間のたんぱく源として、大衆魚ニシンの塩漬けがヨーロッパ各地に売りに出されたのです。ところがニシンは気まぐれな魚で、突然バルト海に産卵に訪れなくなってリューベックは廃《すた》れ、それをオランダ人が引き継いだのです。

オランダ人は、北海での流し網漁でニシンを獲り、船上で塩漬けにしてヨーロッパ各地に売り出して大儲けしました。ヨーロッパ屈指の都市となった首都アムステルダムの発展の基盤は、ニシンにあったのです。

◉オランダ、イギリスに負けて覇権を譲る

穀物を自給できないオランダは、ムギをバルト海南岸の農業地帯（ポーランドが中心）から輸入していたのですが、やがてそのムギを、慢性的に穀物が不足する「乾燥の海」地中海に大量に運んで恒常的に利益を上げるようになります。

さらに、オランダ人はポルトガルを追ってアジア貿易に進出。膨大な数の商船と荒れた海で鍛えた航海技術により、それまでの海の「少数の船による点と線の航海」を「面の航

海」に変え、新大陸ではブラジルやカリブ海で産出されたサトウを流通面から支配して、本格的な海洋商業を発展させました。

また、トルデシリャス条約、サラゴサ条約により、世界の海をスペイン、ポルトガルが独占しようとする試みを、世界の海は「公海」であるとして切り崩し、海洋世界の発展の基盤を築きました。

その間にオランダ人は、オランダを含むネーデルラントを植民地として支配するスペインに対抗。断続的に続く八〇年戦争（オランダ独立戦争）に１６４８年に勝利して、スペインに代わる海洋勢力になりました。しかし、数年後にイギリスのクロムウェルが仕掛けた英蘭戦争に敗北し、覇権をイギリスに譲ることになります。

◉アングル人とサクソン人によるケルト人支配

イギリスを牽引《けんいん》したイングランドの**アングロ・サクソン人**は、19世紀には海から世界を結び付けてイギリスの覇権を築きました。しかし、アングロ・サクソン人がイギリスを一体化するまでには、１０００年もの時間が必要でした。

ブリテン島は全体として**ケルト人**の居住地だったのですが、ローマ帝国の進出により南部のケルト社会が崩され、ローマ帝国の勢力が後退した5世紀に、北海を隔《へだ》てた対岸のユトランド半島（現在のデンマーク）からアングル人とサクソン人（アングロ・サクソン人はこの二つの総称）が進出しました。農業ができる土地を求めた移住でした。寒冷な気候と土質の悪さで、デンマークは穀物が育たなかったからです。

アングル人とサクソン人はケルト人を征服して、イングランドに**7王国**（「ヘプターキー」と呼ばれた）を建国します。貧しさからの脱出が目的でした。

10世紀になると、それらの国々が統一されて、「アングル人の土地」の意味でイングランドと自称するようになります。

11世紀になると、王位継承権を主張する対岸フランスの、ノルマンディー地方のノルウェー人によって征服され（**ノルマン・コンクェスト**。ノルマン朝の創始）、イングランドはフランス王に臣下として仕えることになります。その後、**英仏百年戦争**（1337―1453）に敗れ、イングランドはフランスの領地を失いました。

イングランドを除くブリテン島はケルト人の居住地でしたが、13世紀末にまずウェールズがイングランドに併合されます。さらに、17世紀に**ピューリタン革命**で活躍し、のちに護国卿として独裁者になったクロムウェルが、反革命運動の鎮圧を理由にブリテン島北部のスコットランドと隣のアイルランド島を征服。イギリス王室を中心に連合王国（略号はUK）を成立させました。

「イギリス」はポルトガル人が日本に伝えた国名なのですが、アングロ・サクソン人とケルト人が対立していた複雑な国なのです。イングランドだけを「イギリス」と言うことがあるのは、そのためです。

◉海に全てを賭けろ！

アングロ・サクソン人のイングランドは、最初は「海賊」の国として知られていましたが、**アルマダ海戦**（1588年）による「太陽の沈むことのない国」といわれたスペイン帝国の海軍に対する勝利、オランダとの英蘭戦争（1652—74）、フランスとの北アメリカの支配を巡る第二次英仏戦争（1688—1815）というように、戦争の連続によって大西洋の覇権を勝ち取りました。

その間に、アメリカ独立戦争（1775—83）で13植民地を失いますが、カナダ、オーストラリア、ニュージーランド、インド、アフリカのケープ植民地、マラッカ海峡（海峡植民地）、スエズ運河などを支配し、世界の土地の5分の1、人口の4分の1を支配する海の覇権国家になったのです。

そうした飛躍の根底には、圧倒的な力を持つイギリス海軍の存在がありました。イギリス国民は長期間にわたる過酷な税に耐え、国債を購入して、一連の戦争を支えたのです。

「イギリスには、うまいものがないから海外に進出した」というのはよく聞く言葉ですが、まさに、アングロ・サクソン人のエネルギーの根源を簡潔に説明していると思います。**イギリスは貧しく、海外に頼らなければ豊かになれず、そのためにシー・パワーを強化するしかなかったのです。**

最強の海軍国となったイギリスは、アフリカの黒人奴隷をアメリカ大陸・西インド諸島に運ぶ奴隷貿易を支配し、ヨーロッパにタバコや綿花、サトウなどを運ぶ**大西洋三角貿易**を展開して海外市場を成長させ、それをもとに**産業革命**を起こしたのです。

◉ゲルマン人同士が№1を争い、ヨーロッパは没落した

産業革命は18世紀後半、綿布生産を中心にイギリスで始まりました。次いで１８３０年代以降、イギリスは各地で鉄道建設を請け負い、鉄道建設の中心になりました。鉄道建設はヨーロッパからアジア、アメリカ大陸に及び、製鉄、機械工業が発達。イギリスは「世

界の工場」として、世界の工業生産をリードすることになります。

現在も続いているのですが、オーストリアの経済学者シュンペーターが述べているように、**技術の革新（イノベーション）は、ただ単に技術の革新にとどまらず、企業の組織、資金の調達法、製品の販売法、原料の調達法など幅広い変革を伴う**ものです。

古い社会組織、慣行が「破壊」されて新生産方式に移りますから、すでにモノづくりの仕組みができ上がっている国より、まっさらな状態で新しい技術体系を受け入れた国のほうが圧倒的にコストがかからず、有利でした。古いシステムを「破壊」するコストがかからなかったし、労働コストも低くて済んだからです。

そこで、急激に国際的な経済バランスの変化が生じ、新たな国際紛争が起こります。ＩＴ技術が普及する現在は、まさにその真っ只中で、米中対立もそうした文脈でとらえる必要があります。

１８７０年代に重化学工業を中心とする**第二次産業革命**が始まり、「大不況」といわれる過剰生産と世界の経済構造の変動による20年以上続く不景気を伴って、世界の経済が大変動を起こしました。

１８７１年に民族の統合をしたばかりのドイツが、第二次産業革命で急成長して、イギ

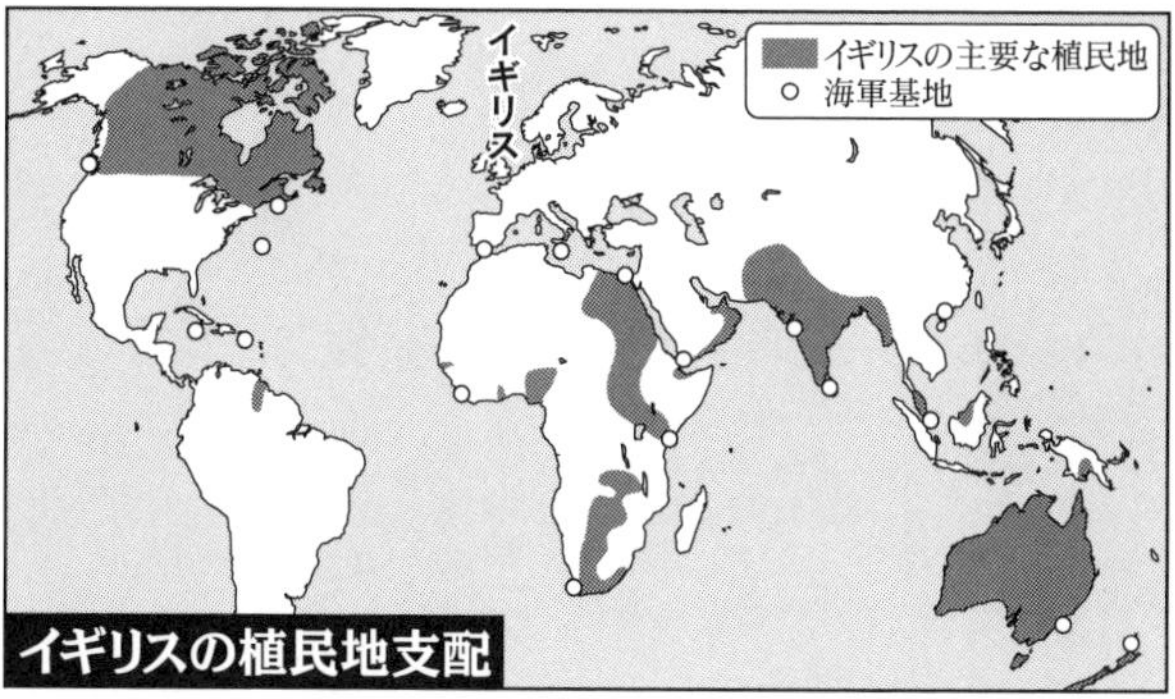

イギリスの植民地支配

リスに代わってヨーロッパ第一の工業国になったのです。**イギリスは、技術革新の波に対応できずに「世界の工場」の座を失って、「世界の銀行」に転身**しました。

19世紀のヨーロッパ経済は、世界中に建設した植民地に依存していましたから、すでに広大な植民地を持っていたイギリス、フランス、ロシアと、植民地のない新興国ドイツの対立が強まりました。ゲルマン人の間に、大きな溝ができたのです。

ドイツが、アメリカの戦略家マハン（183頁）の「シー・パワーこそが国家発展のカギ」という提言を取り入れて海軍を急激に増強し、イギリスの植民地支配の中心であるインド洋への進出を目指すと、過度に警戒したイギリスは、それに外交的、軍事的に対抗して対立が激化しました。現在のアメリカと中国の関係にそっくりです。

結果的に、同じゲルマン民族のアングロ・サクソン人（イギリス人）とドイツ人が、二つの世界大戦を起こして自滅していきます。

それまでの世界史では、同じ民族間の「倒すか」「倒される」の大戦争が、世界中を巻き込んで二度も繰り返されることは、ありませんでした。ですから、ヨーロッパの**ゲルマン人同士が大規模な戦争で自滅したことは、「民族」が後退して「国」の時代に移った**ことを示す、新しい現象でした。

◉「ゲルマン民族の出城」アメリカに覇権が移る

アメリカ合衆国のもとになった13植民地を築いたのは、アングロ・サクソン人を中心とするＷＡＳＰでした。

地図で見るとわかりますが、北アメリカの大西洋岸に最も近いのはイギリスです。イギリスはアメリカを、都市の極めて貧しい人々、何かと悶着《もんちゃく》を起こすピューリタンなどを隔離する場所として利用しました。言ってみれば、ただっ広いアメリカの植民地は、イギリス社会の調節弁だったのです。

19世紀の半ば以降になると、ハンブルク港から生活に困窮したドイツ人移民の数が増え、アメリカへの移民の3分の1を占めるようになっていきます。

19世紀後半のアメリカ

ゲルマン系のアングロ・サクソン人、ドイツ人の移住が進む中で、アメリカ大陸の先住民に対する圧迫が強まっていきます。移住者たちは、白人がアメリカに新天地を広げることは神が認める「**マニュフェスト・デスティニー（明白な使命）**」であると主張し、銃によってインディアンから土地を取り上げる行為を正当化しました。

　大量の黒人奴隷を必要とする南部の綿花プランテーション地帯では、1807年に非人道的な奴隷貿易は廃止されましたが、奴隷制度そのものは存続され、アメリカで生まれた黒人奴隷の売買が存続しました。そのために、ストウ夫人が『アンクル・トムの小屋』で書いたように、アメリカ内部で黒人奴隷が増殖されて国内で広く売買され続けます。

南北戦争（１８６１―６５）が起こると、大統領のリンカーンは西部を味方につけるために**ホームステッド法**（自営農地法）を出して、5年間西部の未開拓地での開墾《かいこん》に従事すれば「約20万坪の土地を無償で与える」ことを約束します。それが、大不況下のヨーロッパの貧民層の間に**アメリカン・ドリーム**を呼び起こし、１８９０年代になると西部の未開拓地（フロンティア）は消失していきました。

また大不況により、ヨーロッパで生まれた余剰資本がアメリカに投資され、西部に4本の長大な**大陸横断鉄道**が建設され、製鉄産業、機械産業、鉄道産業、石油産業などが成長。アメリカの工業は、ドイツ・イギリスを抜いて世界第1位になります。

かつてイギリスの植民地だったアメリカが、ゲルマン人が支配する新たな成長地域として姿を現したのです。

◉露わになってきた、アメリカの覇権の脆さ

第二次世界大戦によって、ヨーロッパをはじめとするユーラシア諸国が没落した隙に、

アメリカのゲルマン人が覇権を握りました。世界中が共倒れになる中で、戦場にならなかったアメリカの一人勝ちになったのです。

そうした状況で、アメリカはドルを世界通貨とするＩＭＦ体制（ブレトン・ウッズ体制）、核兵器の独占、安全保障理事会を通じての国連支配などによる、**地球規模の覇権システム**をつくり出します。アメリカのゲルマン人は、新たに転げ込んだ覇権を地球規模のシステムをつくり上げることで確実なものにしていったのです。

19世紀のイギリスのアングロ・サクソン人は、自らの国の資本主義を手本とし、ヨーロッパ諸国がそれに従うというかたちをつくったのですが、アメリカは自国が主導してつくり上げた地球規模のシステムに世界中を組み込もうとしました。

なぜそうしたのかというと、**ラッキーで覇権が転がり込んだものの、アメリカ自体は発展途上国そのもので、地域対立、人種対立が深刻で国の基盤が弱かったから**です。そうしたアメリカ内部の深刻な分裂は、昨今の共和党のトランプ大統領の就任、新型コロナの流行に対する対応の中で明らかになりました。

19世紀に植民地を持てなかったアメリカは、19世紀の植民地体制を崩し、世界をビジネス空間として一体化する「ワン・ワールド」政策を推進し、ソ連との冷戦を利用して核兵器による安全保障を定着させていきました。

しかし、１９７０年代以降、アメリカの支配体制は崩れることになります。そうした中で、90年代の**アメリカのクリントン政権は、かつてのイギリスと同様に金融大国になることを選択**。インターネットを使った金融による世界支配を目指しました。そんな中、２００８年にリーマン・ショックが起こり、膨張させすぎた国際金融が大破綻。アメリカの覇権が揺らぎました。

同化政策によって膨張を続ける中国も難問が山積みですが、アメリカでも移民・難民の流入で、アメリカのゲルマン人の力は低下する一方です。それが、トランプ政権が出現する背景の一つになりました。

実のところ、ゲルマン民族の「出城」アメリカの覇権は、ヨーロッパのゲルマン人との協調に支えられています。しかし、アメリカとヨーロッパ大陸を結び付ける役割を果たしてきたイギリスがブレグジットでEUから離脱し、アメリカが、本家のイギリス、そしてドイツとの関係を修復できるかが、国際秩序安定のカギになりつつあります。

⑩ユダヤ人——世界資本主義をリードした、商業民のチャンピオン

◉数は少ないが強力な商業民・ユダヤ人

ユダヤ人は、もともとアラブ人と同じセム系民族で、かつては**ヘブライ人**と呼ばれていました。ヘブライとは、ヘブライ語で「さまよう」の意味です。彼らはユーフラテス川を越えて大穀倉地帯エジプトと接する「カナーン」（現在のパレスチナ）に移住し、商業民になりました。商業の基本形は「旅」ですから、それは「さまよう」に通じます。

現在、アメリカ、フランス、イギリス、ロシア、イスラエルなど世界中に散らばるユダヤ人の数は、わずか約１４６０万人にすぎません。東京都、大阪市、札幌市の人口を合わせたより少し多いだけの人数です。とても世界の10大民族には入らないのではないかと思われるかもしれませんが、彼らは商業民のチャンピオンなのです。

例えば人口との比率で見れば、ユダヤ人のノーベル賞の受賞者の割合は圧倒的な多数を占めています。経済が地球化していく中で、世界金融を動かし、インターネット産業を支え、ハリウッド映画を育て、ダイヤモンドの流通を独占し、世界中にスターバックスのネ

ットワークを張り巡らせています。

長い歴史の中で培《つちか》われた**経済技術と資金、情報を共有する世界規模のネットワークを持つことが、ユダヤ民族の最大の強み**になりました。

◉ユダヤ教はどのように成立したか

現在の大半のユダヤ人は非宗教的で、都市生活を送っていますが、長い歴史の中で大きな地位を占めてきたのが、民族宗教の**ユダヤ教**でした。ですから現在でも、ユダヤ人の定義は「ユダヤ人の血統を引く者、あるいはユダヤ教徒」とされています。ユダヤ教が、ユダヤ人の民族的きずなとして大きな役割を果たしてきたことがわかります。

ユダヤ教は、唯一絶対の創造神ヤハウェを信仰する一神教で、キリスト教とイスラーム教の母胎になっています。

ヤハウェは、もともとは部族神でしたが、商業民ユダヤ人の苦難の歴史の中で、民族神となりました。一神教は砂漠の信仰と考えられますが、ユダヤ教から派生したキリスト教の創造神のゴッド、ユダヤ教の強い影響を受けたイスラーム教のアッラー（もともと「アッラー」は神を意味する普通名詞）の信仰は、ヤハウェの信仰に大きな影響を受けています。

図11　ヘブライ語聖書におけるモーセの十戒

- 他の神々が、あなたのために私の面前にあってはならない。
- あなたは自分のために像を作ってはならない。上は天にあり、下は地にあり、また地の下の水の中にあるもののいかなる形も。あなたはそれにひれ伏しても、それらに仕えさせられてもならない。
- あなたは、あなたのヤハウェの名を、空しいことのために唱えてはならない。
- 安息日を覚え、これを聖別しなさい。
- あなたはあなたの父と母を重んじなさい。
- あなたは殺してはならない。
- あなたは姦淫してはならない。
- あなたは盗んではならない。
- あなたはあなたの隣人に対し、偽の証言をしてはならない。
- あなたは、あなたの隣人の家を欲しがってはならない（あなたの隣人の全てのものを欲しがってはならない）。

ただ、ユダヤ教は、契約によりユダヤ人が神に選ばれた民族であるとする選民思想を持つことに特色があります。

　カナーンに居住したユダヤ人は、飢《き》餓《が》を避けてエジプトへの移住に成功しますが、エジプトのファラオ（王）の怒りを買って労役を科されます。そこで、ユダヤ人は預言者で民族指導者のモーセに率いられて「出エジプト」を行ない、その途中にシナイ半島のシナイ山で神ヤハウェから「十戒」が授けられます。この「十戒」が神とユダヤ人を結ぶ契約とされ、ユダヤ人の倫理観の基礎になりました。

ユダヤ人は、その後40年間荒野をさまよい、やっとのことでカナーンに戻ります。王国が建国され、ソロモンの時代には商業王国として栄えましたが、やがて南北の二つの国に分裂。相次いで西アジアに台頭した大国により、征服されました。

特に南部のユダ王国を滅ぼした新バビロニアは、多くのユダヤ人を都のバビロンに強制連行。ユダヤ人を建設労働者として使役しました（**バビロン捕囚**）。

苦難を経験したユダヤ人は、この「捕囚」を神の怒りとしてとらえ、神が与えた「律法」を守っているユダヤ人のみが最終的に救われるとして、「律法（トーラ）」に基づくユダヤ教の信仰を確立していきます。

◉「ネットワークの民」にならざるを得なかったわけ

やがて地中海にローマ帝国が成立し、属州となったユダヤでの収奪が強まると、征服者のローマ人（ラテン人）とユダヤ人の対立が激化。66年にローマ人の総督が神殿から財宝を持ち去ったことから、ユダヤ人の反乱が広がりました。

最終的に反乱はローマ軍により鎮圧され、ユダヤ人のイェルサレム居住は禁止されてカナーンの地からも強制的に追い出されてしまいました。このとき、ローマ人は、カナーンにユダヤ人と敵対するペリシテ人を居住させ、そこを「パレスチナ」と改名します。

故郷を奪われたユダヤ人は、地中海の周辺に散り散りに居住する「ネットワークの民」に変わらざるを得なくなりました。この出来事を**ディアスポラ**（ギリシア語で「撒《ま》き散らされた者」の意味）と呼びます。

イェルサレムのユダヤ教の神殿が破壊され、郷土から追放されたユダヤ人は、しかたなく、神殿を中心とする信仰を世俗化することで対応しました。

つまり、信仰の中心を各地の共同体ごとに設けられたシナゴーグ（会堂。ギリシア語で「集会」の意味）に移し、ユダヤ教の知識が豊富なラビ（指導者）により信者が指導されることとし、同時にユダヤ人の慣習、社会ルール、価値観なども教えて、民族文化、民族の伝統が失われないようにしたのです。

◉ユダヤ教の世俗化と庶民教育の徹底

こうしてユダヤ人は、ローマ人により奪われた信仰や文化を教育で補うことにして、「教育の民」になりました。民間から宗教的指導者、共同体の指導者、賢い商人を育てなければなりませんから、各共同体では期せずして「読み書きそろばん」の庶民教育が盛んになりました。

ユダヤ人の格言に「ヤギに髭《ひげ》があるからといってラビにはなれない」「祈るときは短く、学ぶときには長い時間をかけよ」などがあるように、生活の中で生かされる知恵の学習が重視され、それを備えなければラビとは認められませんでした。

ユダヤ人の場合、弱小民族であることの自覚が教育の重要性に目覚めさせ、それが民族のエネルギーになりました。彼らは、**イェルサレムが滅びたのは教育が悪かったから**だと考えたのです。

子供の教育は父親の義務とされ、成人するまでに律法（トーラ）が読めるようにすることが求められました。そのために、ユダヤ民族は、庶民の識字率が最も高い民族になっていきます。

◉商業とはつまるところ、コミュニケーションだ

商業民にとっての重要な能力は、コミュニケーション能力、判断力、行動力、機転でし

た。彼らは厳しい環境の下で実践的に商売を学び、それを子孫に伝えていきます。「浪速《なにわ》の商人道」ではありませんが、ビジネスで鍛えられたのです。

「あなたが持っている物を、それを必要としている人に売るのが商売ではない。あなたが持っていないものを、それを必要としない人に売るのが商売である」というユダヤ人の格言があります。日々の厳しい営みの中で実践的に知恵が磨かれ、それが子に伝えられて民族の財産になったのです。

商人ですから、コミュニケーション技術の習得が基本でした。そのためには多言語の習得が不可欠であり、外国語の学習、外国人の思考法、慣習、信仰などに対する知識の習得が必要になります。そうした生活スタイルが、２０００年以上の歳月をかけて洗練されていったのです。

しかし、古代社会では商業のチャンスに限度があります。そこでユダヤ教は、キリスト教・イスラーム教が利子をとることを厳禁としたのとは異なり、他民族から利子を取ることを認めました。金《かね》を自分の代わりに働かせようとしたのです。

それは金融の基本なのですが、他民族に先駆けて、ユダヤ人は「金は道具」という合理的な金銭観を身につけていったのです。

◉民族を維持するためのタルムード

「禍《わざわい》を転じて福となす」という言葉がありますが、先に述べたディアスポラ（民族の離散）も長い目で見れば、まさにそのような結果をユダヤ民族にもたらしました。

ユダヤ人は、ディアスポラによって世界史でも珍しい、**母国を持たないネットワーク型の商業民**になれたのです。広い地域の要所に少人数で分散居住し、情報や商業上の便宜を与え合い、時に資金を融通し合うことは、商業民としては理想形でした。

ドイツの歴史家ゾンバルトは、ネットワーク型の商業民としてユダヤ人が存続できたことについて、こう述べています。

「彼らはディアスポラ以後全ての世紀を通じて、分散にもかかわらず（ユダヤ教の律法が彼らをしばしば強力な紐帯《ちゅうたい》によって）、いやそればかりか分散のおかげで隔離されたまま生活してきた。隔離されたがために結束したともいえるが、むしろ、結束したために、分散したと言ったほうがいいであろう」

しかし、分散して長い間生活すると、民族性が失われてしまう恐れが出てきます。そこで、ユダヤ人の生活規範、法律、伝承、逸話、格言などを集大成した**タルムード**（ヘブライ語で「研究」の意味）が長い歳月をかけて学者の手で編纂《へんさん》され、ユダヤ社会のしきたり、

6部構成、63編から成るタルムードの最初のページ。ユダヤ教の伝承によれば、神はモーセに対し、書かれたトーラとは異なる、口伝で語り継ぐべき律法をも与えたとされる。しかし相次ぐ戦争でユダヤ教の存続が危ぶまれると、書物（タルムード）として編纂されるに至った。

世間の知恵を学ぶための教科書（経典）になりました。

ユダヤ教では『旧約聖書』だけでなく、モーセが伝えた口伝《くでん》の律法《りっぽう》があると信じられ、多くのラビが集めたユダヤ社会の伝承と解釈を集めて、標準化したタルムードがつくられたのです。ユダヤ人の子供たちはタルムードを教材として、互いに討論することでユダヤ社会の慣行、処世術、商人道などを身につけていきました。


◉ユダヤ人は「辺境のヨーロッパ」でのみ迫害された

西洋史では、ユダヤ人は迫害を受け続けた気の毒な民族となっています。

例えば、１２１５年に開かれた第４回ラテラン会議では、ヨーロッパに住む全ユダヤ人に黄色い帽子を被らせ、バッジを着けることを命じました。

また、１２３９年に教皇グレゴリウス９世は、ユダヤ人からタルムードを全て取り上げ、焼き払うことを命じています。さらに１５５５年に教皇パウルス４世は、ユダヤ人をゲットーという高い壁をめぐらした居住区に隔離しました。ユダヤ人が知的職業につくことは禁止され、商業活動も制限されます。

しかし、それはヨーロッパだけのことで、商業が盛んなイスラーム世界では、ユダヤ教徒もキリスト教徒と同等で、税さえ収めれば、信仰、商業、金融などあらゆる活動が認められました。

ですから世界史的に見れば、**ユダヤ人が主に活動したのは、ヨーロッパではなくイスラーム世界**でした。①アッバース朝の都バグダードを中心とする中東、②後ウマイヤ朝が支配していたコルドヴァ（現スペイン・アンダルシア州）を中心とするイベリア半島、③ロシアの毛皮取引が盛んに行われ、経済の活況が見られたカスピ海の北岸のハザール・ハン国（100～101頁の地図）などです。特に利益の多い③には多くのユダヤ商人が集まり、ユダヤ教が国教になるほどでした。

それらの地域のユダヤ人が中心になり、ユダヤ人は三つのグループに分かれていきます。

①の地域の**ミズラヒム**（ミズラはヘブライ語で「東」の意味）。混血で白人化した

②の地域の**セファルディム**（ヘブライ語で「イベリア」の意味）。西ヨーロッパのキリスト教社会に同化した

③の地域のユダヤ人はモンゴル帝国に追われて、ウクライナ、ポーランドに移住。その後、18世紀末のポーランドの分割でロシア、ドイツに支配される**アシュケナジム**（ヘブライ

語で「ドイツ」の意味）になった

三つのグループのうち、大航海時代以後の西ヨーロッパで活躍し、資本主義経済を根付かせたのが②のセファルディムでしたが、彼らは19世紀にキリスト教社会に同化して混血していきます。

現在のユダヤ社会をリードするのは、③のアシュケナジムです。彼らはロシアで迫害されて、大量にアメリカのニューヨークに移住（１９２０年代までに約２００万人）。ロシア革命の中心になり、第二次世界大戦後はイスラエルへの移住の中心になっています。

◉ユダヤ人への迫害と紙幣誕生の関係

大航海時代はイベリア半島のユダヤ人にとっては、大きな受難期でした。１４９２年にイスラーム勢力の最後の拠点グラナダが陥落すると、スペインは国内のユダヤ人をキリスト教に改宗させて純粋なキリスト教国にしようとします。そのため、改宗を拒んだユダヤ教徒を国外に追放。ポルトガルもやがてそれに同調しました。

イベリア半島から多くのユダヤ人が追放されました（**第二のディアスポラ**）。大部分のユダヤ人はイスラーム世界に移住しましたが、一部は経済勃興期のオランダに移住しました。スペイン語、ポルトガル語を話せる人材はオランダにとっても貴重だったのです。

オランダに移住したユダヤ人は、当時の経済の先進地域のイスラーム世界の経済技術や手形をオランダに伝えました。当時のイスラーム世界では商業の大規模化に伴ってすでに手形、小切手が普及していたのです。

ユダヤ人の財産はいつ言いがかりをつけられて没収されてしまうかわかりませんから、彼らは**無記名手形**（受取人の名前が記されていない手形）を発行して財産を守ろうとしました。しかし、この受取人が記されていない手形は、不特定多数の人たちからお金を集めるのにとても便利です。オランダでは、国が国債《こくさい》という無記名手形を発行して、戦費を調達するようになりました。

さらに第二次英仏戦争で政府が国債を発行しすぎて、引き受け手がいなくなっていたイギリスでは、ユダヤ商人などが民間で**イングランド銀行**を組織。低利で国に融資をする代わりに紙幣（無記名手形）発行の許可を得ます。この紙幣はもともとは紙切れにすぎないのですが、銀貨、金貨と同じように扱われ、貸し付けにより利子が取れましたので、商人は大儲けができたのです。

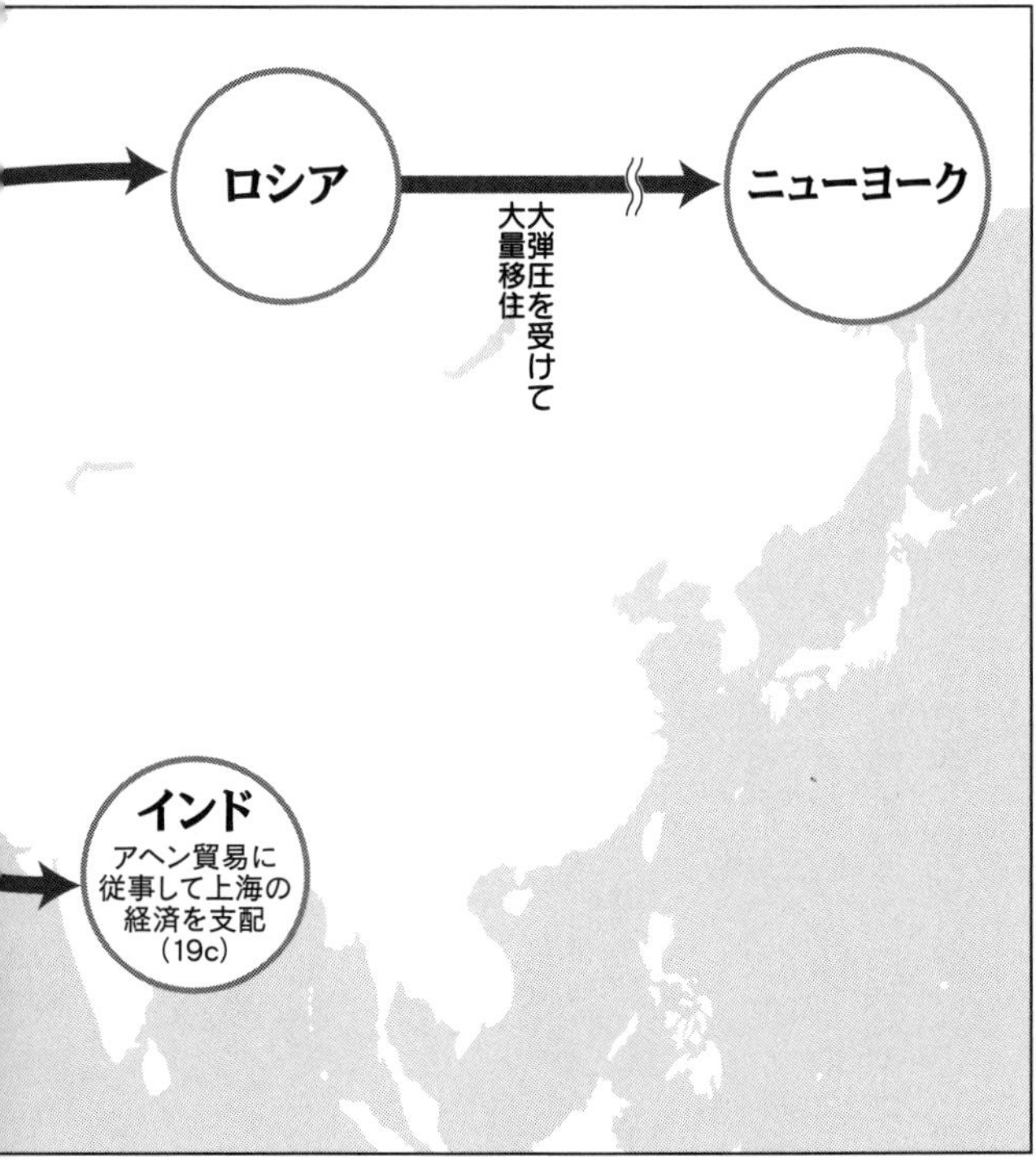

　最近、インターネットが普及して紙の文明から電波の文明に移行する中で、抜け目のない人たちが「暗号電波」を電子マネーとして売買、一獲千金《いっかくせんきん》を狙っています。しかし、何によって価値が担保されるのかは不明確であり、金貨の写真で電波を売ることがなぜ許されるのか、の説明がなされていません。暗号電波は確かに便利ですが、いくら集めても財産にはなりません。

　話を戻します。19世紀に

ユダヤ人の大移動

イギリスは、世界の基軸通貨を銀貨から金貨に替え、不足する金貨を補うポンド紙幣を国際通貨にすることに成功し、それによりアジアの銀貨経済を掘り崩しました。それがイギリス経済の大躍進につながったのですが、その実務を担当したのが、ロスチャイルドなどのユダヤ商人が運営するイングランド銀行でした。

　二つの世界大戦でイギリスが没落したあとは、やはりユダヤ系の銀行が支えるアメリカの**ウォール街**がドル紙幣により世界経済を動かしています。

◉ポグロムとシオニズムがイスラエルを建国させた

19世紀は、ヨーロッパで国民国家が形成されるナショナリズムの時代でした。各国のポピュリスト政治家は「民族」を政治に利用しましたから、各国で異民族のユダヤ人に対する圧迫が強まりました。

封建性が強いロシアでは民衆の不満をそらすために、ユダヤ人がスケープ・ゴート（贖《しょく》罪《ざい》の山羊。身代わり）にされて迫害が繰り返されます。

そんな中、国内改革に失敗したロシアで、皇帝のアレクサンドル2世が暗殺されるという事件が起こります。その暗殺にユダヤ人女性が関わったという噂が流れると、ユダヤ人に対する大規模な**ポグロム**（「虐殺」を意味するロシア語）が繰り返され、１９２４年までに２００万人ものユダヤ人がニューヨークの下町に移住することを与儀なくされました。ミュージカル『屋根の上のバイオリン弾き』でお馴染みの出来事です。

フランスでは民族主義が高まる中で、陸軍参謀本部勤務の大尉だったユダヤ人のドレフユスがスパイ容疑で逮捕された冤罪《えんざい》事件（**ドレフュス事件**）が起こります。それに失望したオーストリアのユダヤ人新聞記者ヘルツェルは、「民族」に熱狂して排外的な傾向が強まるヨーロッパから脱して、ユダヤ人の国をつくろうという**シオニズム運動**を起こしました。「シオン」は、イェルサレムの古称ですから、シオニズムはユダヤ人がパレスチナに戻って、ユダヤ人の民族国家を樹立しようとする運動です。

①パレスチナを支配していたオスマン帝国の弱体化、②イギリスの金庫番であるユダヤ人金融家ロスチャイルドの支援、③1917年の英外相バルフォアの支持（バルフォア宣言）によりシオニズム運動は現実味を帯び、第二次世界大戦後の**1948年、アメリカの支援を受けて、パレスチナにイスラエルが建国**されます。

パレスチナには多くのアラブ人が居住していましたから、パレスチナの建国に対してアラブ人が一斉に反発。四次にわたる中東戦争が繰り返されました。

第二次世界大戦中のドイツのホロコーストについては、すでに述べました（33頁）。もともとドイツ人にはユダヤ人への反感があったのですが、ナチスはその反感を増幅させて政治的に利用し、ドイツ企業はユダヤ人を排斥することで債務の帳消しを図ったわけです。

おわりに――

本書では教科書的な、王朝、国家を寄せ集めた世界史ではなく、民族の視点から世界史の興亡を取り上げました。

まず、19世紀にヨーロッパが「国」「民族」により、世界を再解釈して、新しく世界像を書き直そうとしたことを述べました。次いで、世界史を①西アジアと地中海、②ユーラシアの大草原と中国・インドの大農業地帯、③ヨーロッパと大西洋と新世界、という三つの歴史舞台を設定し、それぞれの舞台で大活躍した10大民族について記してきました。

教科書とは切り口が違いますから、ひと味違った世界が見えたのではないでしょうか。ヨーロッパ中心の世界史では見えない「ユーラシアの世界史」が、形を変えて現在も残っていることをご理解いただければ幸いです。

●参考文献

青木健『アーリア人』講談社選書メチエ
青木健『ペルシア帝国』講談社現代新書
赤澤威『モンゴロイドの地球（1）アフリカからの旅だち』東京大学出版会
荒川正晴『オアシス国家とキャラヴァン交易』山川出版社
岩村忍『文明の十字路＝中央アジアの歴史』講談社学術文庫
梅村坦『内陸アジア史の展開』山川出版社
宇山卓栄『「民族」で読み解く世界史』日本実業出版社
岡崎勝世『世界史とヨーロッパ』講談社現代新書
岡田英弘『世界史の誕生』ちくまライブラリー
岡本隆司『世界史とつなげて学ぶ 中国全史』東洋経済新報社
岡本隆司『腐敗と格差の中国史』ＮＨＫ出版新書
川本芳昭『中国史のなかの諸民族』山川出版社
クシティ・モーハン・セーン、中川正生訳『ヒンドゥー教』講談社現代新書
グレン・ハーバード・ティム・ケイン、久保恵美子訳『なぜ大国は衰退するのか』日経ビジネス人文庫
黄文雄『捏造だらけの中国史』産経新聞出版
坂本勉『トルコ民族の世界史』慶應義塾大学出版会
白石典之『モンゴル帝国誕生』講談社選書メチエ

杉山正明『モンゴル帝国の興亡（上）』講談社現代新書
杉山正明『モンゴル帝国と長いその後』講談社学術文庫
長島伸一『大英帝国』講談社現代新書
ハインツ・ゴルヴィツァー、瀬野文教訳『黄禍論とは何か―その不安の正体』中公文庫
藤井毅『インド社会とカースト』山川出版社
古田元夫『アジアのナショナリズム』山川出版社／本間長世『ユダヤ系アメリカ人』ＰＨＰ新書
益尾智佐子『中国の行動原理』中公新書
宮川律『中東イスラーム民族史』中公新書
宮脇淳子『どの教科書にも書かれていない 日本人のための世界史』ＫＡＤＯＫＡＷＡ
森本一夫編著『ペルシア語が結んだ世界―もうひとつのユーラシア史』北海道大学出版会
森安孝夫『シルクロード世界史』講談社選書メチエ
弓削尚子『啓蒙の世紀と文明観』山川出版社
楊海英『逆転の大中国史 ユーラシアの視点から』文春文庫

10大民族で読み解く世界史の興亡

2021年2月18日　初版印刷
2021年2月28日　初版発行

著者◉宮崎正勝

企画・編集◉株式会社夢の設計社
東京都新宿区山吹町261　〒162-0801
電話（03）3267-7851（編集）

発行者◉小野寺優

発行所◉株式会社河出書房新社
東京都渋谷区千駄ヶ谷2-32-2　〒151-0051
電話（03）3404-1201（営業）
http://www.kawade.co.jp/

DTP◉アルファヴィル

印刷・製本◉中央精版印刷株式会社

Printed in Japan　ISBN978-4-309-50420-9